7 DIAS DE INTIMIDADE

ED E LISA YOUNG

7 DIAS DE INTIMIDADE

Uma semana para resgatar a paixão e reforçar os laços de seu casamento

TRADUÇÃO: LILIAN JENKINO

THOMAS NELSON
BRASIL

Título original
Sexperiment

Publisher	*Omar de Souza*
Editor responsável	*Renata Sturm*
Produção editorial	*Thalita Aragão Ramalho*
Capa	*Julio Moreira*
Tradução	*Valéria Lamin Delgado*
Copidesque	*Taís Facina*
Revisão	*Margarida Seltmann*
	Fernanda Silveira
Diagramação e projeto gráfico	*Thiago Silva*

CIP-BRASIL. CATALOGAÇÃO NA FONTE
SINDICATO NACIONAL DOS EDITORES DE LIVROS, RJ

Y67s

Young, Ed, 1961-
7 dias de intimidade: Uma semana para resgatar a paixão e reforçar os laços de seu casamento/Ed Young e Lisa Young; [tradução de Valéria Lamin]. - Rio de Janeiro: Thomas Nelson Brasil, 2013.

Tradução de: Sexperiment
ISBN 978-85-7860-294-9

1. Sexo no casamento - Aspectos religiosos - Cristianismo. 2. Casamento - Aspectos religiosos - Cristianismo. 3. Sexo - Aspectos religiosos - Cristianismo. I. Título.

12-4302. CDD: 242.2
CDU: 24.02.12

Rua Nova Jerusalém, 345 – Bonsucesso
Rio de Janeiro – RJ – CEP 21402-325
Tel.: (21) 3882-8200 – Fax: (21) 3882-8212 / 3882-8313
www.thomasnelson.com.br

Sumário

Gostaríamos de dedicar este livro a todos os que entendem a realidade de que um grande casamento não acontece por acaso; é preciso trabalho. É por meio do compromisso de um para com o outro, da paixão de um pelo outro e da disposição de trabalhar em conjunto que marido e esposa conhecem a verdadeira alegria no casamento e a satisfação de uma jornada ao lado um do outro para toda a vida.

Agradecimentos

Quando começamos a escrever este livro, sabíamos que seria uma grande tarefa que exigiria a assistência, a orientação e o apoio de muitas outras pessoas. Nenhum autor se senta para escrever e faz tudo isso sozinho, do começo ao fim. Como no casamento, para escrever um livro é preciso o trabalho e a dedicação de mais de uma pessoa. Gostaríamos de reconhecer algumas das pessoas que desempenharam papéis fundamentais para que este livro fosse o que é.

Em primeiro lugar, agradecemos a Deus por nos criar como seres capazes de se relacionar e nos abençoar com a oportunidade de compartilhar sua mensagem para o casamento.

A Tom Winters e Debby Boyd agradecemos a orientação e conexão em tantas frentes. Tom, algo assim não é possível sem alguém como você por perto.

A Jana Burson e toda a equipe da Hachette Book Group, obrigado pela oportunidade de trabalhar com vocês neste projeto.

A Olivia Cloud e Andy Boyd, obrigado por sua dedicação e assistência, ajudando-nos a compor, escrever e editar este livro.

Muito obrigado a todos os que enviaram suas histórias sobre como a *Sexperiência* os ajudou a melhorar o casamento. Sua disposição de dividir essas histórias dá outra dimensão para todos os que leem este livro.

E, finalmente, nossa mais sincera gratidão às pessoas maravilhosas da Fellowship Church, que foram as primeiras a aceitar nosso desafio com a *Sexperiência*. É uma honra poder abrir a Palavra de Deus e compartilhar com vocês a cada semana tudo o que Deus tem reservado para o casamento, os relacionamentos e a vida como um todo.

7 Dias de Intimidade

Introdução

Quando eu tinha quatro anos, fiz à minha mãe a pergunta que toda criança faz em algum momento: de onde vêm os bebês? Uma vez que sou o mais velho de três filhos, essa foi a primeira vez que minha mãe se viu diante dessa pergunta, e sua reação foi, compreensivelmente, ficar surpresa e paralisada.

Mas nunca me contentei em fazer uma pergunta e não obter a resposta. Continuo a buscar a resposta até ficar satisfeito por ter recebido *todas* as informações de que preciso. Então, não só fiz a mesma pergunta à minha mãe mais uma ou duas vezes, mas também por inúmeras vezes eu a incomodei para que me dissesse de onde vinham os bebês. Perguntei no mercado. Perguntei na igreja. Perguntei à mesa de jantar. Perguntei o tempo todo. E minha mãe sabia que eu simplesmente continuaria a perguntar se ela não me desse uma resposta honesta e completa.

Finalmente, depois de evitar o assunto várias vezes, minha mãe me pôs sentado para me dar a resposta. Da forma mais apropriada possível para minha idade, ela me explicou a complexidade e o tempo da gravidez. E, uma vez que não se pode falar de onde vêm os bebês sem esbarrar no tema do sexo, ela "o" explicou em termos muito gerais.

Ela deu o máximo de informações que julgou apropriadas para um menino de quatro anos, e fiquei sentado ali, ruminando tudo aquilo em minha mente. Alguns minutos depois, olhei para ela com uma expressão séria e simplesmente disse: "Eu não acredito em você. *Quem tem vontade de fazer isso?*"

Agora, depois de mais de 46 anos, dos quais sou casado há 29, posso dizer: "Mãe, eu acredito em você. E agora eu sei por que alguém tem vontade de fazer isso!"

Sexo. Para uma palavra tão pequena, ela tem uma grande influência sobre nossa vida. Quando somos muito jovens, o sexo é algo sobre o que ouvimos, falamos e imaginamos — seja de maneira saudável ou não. Em nossa música, em nossos filmes, programas de televisão, revistas e livros. O senso comum na indústria da publicidade diz que "sexo vende". Se quiser vender um produto, de xampu a automóveis, a indústria faz tudo o que está ao seu alcance para nos levar a acreditar que aquilo nos deixará mais atraentes ou que conseguiremos mais sexo. No entanto, não importa o que pensemos que sabemos sobre sexo, muitas pessoas não entendem o real objetivo com o qual ele foi criado.

A *Sexperiência* é um desafio que foi criado para ajudar você e seu cônjuge a se conectarem novamente com o que deveria ser o sexo. A premissa do desafio é simples e clara: fazer sexo com seu cônjuge uma vez por dia durante sete dias seguidos. Pode não parecer grande coisa à primeira vista, mas as implicações de se fazer sexo por uma semana, como você descobrirá na leitura deste livro, são muito mais complexas e produzirão resultados duradouros. Durante uma semana de sua vida, se você decidir aceitar esse desafio e fizer sexo, a *Sexperiência* tem por objetivo ajudá-lo a perceber o quanto a intimidade sexual pode fazer por seu casamento.

Mas por que sete dias? Por que não catorze, dez ou mesmo três? Afinal, você talvez esteja pensando: "Nunca tivemos três dias seguidos de sexo desde que nos casamos. Eu me contentaria com isso!" Há algo especial com relação ao número sete.

Há sete dias na semana. Existem as Sete Maravilhas do Mundo. Deus fez o mundo em sete dias. Na Bíblia, o número sete muitas vezes simboliza perfeição ou conclusão. Mas sejamos realistas. Nenhum de nós está criando um mundo novo. Não estamos criando um mapa das maiores realizações arquitetônicas da humanidade. Não estamos tratando de reestruturar o calendário moderno. Mas estamos nos esforçando para ter perfeição e plena satisfação no casamento. A *Sexperiência* pode ser o primeiro passo.

Então, a próxima pergunta é: fazer sexo durante uma semana realmente faz toda essa diferença em meu casamento? É tudo isso mesmo na visão geral de meu casamento e de minha vida? A resposta é: Lisa e eu acreditamos, com base em nossa experiência pessoal, que sim!

Como começou a Sexperiência

O catalisador que despertou a ideia para a primeira *Sexperiência* veio de minha esposa Lisa. Eu estava no meio de uma série de ensinamentos sobre os perigos da cobiça quando ela me entregou um artigo de uma revista sobre educação de filhos que falava sobre a vida sexual de casais que têm filhos. Ao passar os olhos no artigo, o exame foi deprimente. Ele basicamente dizia que os casais querem fazer amor, mas a verdade é que eles não fazem com a frequência que gostariam.

Ao folhear a revista, deparei-me com outro artigo sobre um casal que havia se comprometido a ter relações sexuais por pelo menos uma vez por dia durante uma semana inteira. Eles chamaram a experiência de uma *Sexperiência* e compartilharam alguns dos desafios que a semana apresentou, junto com muitos resultados fenomenais que o experimento trouxe para seu casamento.

Enquanto lia aqueles dois artigos, pensei: "Isso poderia ajudar tantos casais hoje. E o melhor lugar para falar sobre isso é na igreja!" Então, no fim de semana seguinte, com o estímulo de minha esposa, desafiei maridos e esposas da Fellowship Church a terem relações sexuais nos próximos sete dias.

Como era de esperar, os homens amaram a ideia e a maioria das mulheres olhou para mim com incredulidade. Mas, depois de vários dias, e-mails e telefonemas de esposas e, igualmente, de maridos começaram a chegar de toda parte, agradecendo-me por incentivá-los a aceitar o desafio!

Ed,
Agradeço a Deus por você e por sua esposa! Obrigada por, finalmente, ensinar-nos a verdade! Meu marido e eu estamos no nono dia. Isso deve lhe dizer alguma coisa (risos).

Obrigado, obrigado! Este desafio de sete dias de sexo, Ed, é fantástico! Minha esposa e eu, cuja vida sexual ao longo dos anos estagnou e ficou, imagino eu, um pouco enferrujada, queremos cumprimentá-lo.

Minha esposa e eu temos um ritual agora: depois do jantar, nós nos sentamos perto da lareira e tomamos uma xícara de chá, deixando um pouco a televisão de lado, para falarmos do nosso dia, o que leva não somente à intimidade emocional, mas também, agora com seu desafio, a um desejo de transformá-la em intimidade física.

Regras do desafio

Antes de seguirmos em frente, eu gostaria de deixar algo muito claro. A *Sexperiência* não é para todos. É reservado para aqueles que são casados, porque Deus criou o sexo para ser desfrutado no leito matrimonial. Ele o criou como algo sagrado a ser compartilhado entre marido e mulher no contexto do casamento.

Por muito tempo, no entanto, as pessoas de fé se afastaram do tema do sexo e permitiram que a cultura roubasse para si o projeto de Deus. Agora o sexo está em toda parte, até onde não deveria. Nosso mundo é cercado e composto pelas implicações e ramificações do ato sexual do modo errado. Contudo, as consequências do sexo fora de contexto são coisas sobre as quais a indústria do entretenimento, os anunciantes, os publicitários e os representantes de vendas não gostam de falar.

Não que não pensemos em sexo. Essa é uma parte natural do ser humano. O problema é que não pensamos o suficiente nele. Muitas pessoas sexualmente ativas não entendem do que, de fato, se trata o sexo. Estão convencidas de que o sexo é apenas uma rotina física, um ato biológico entre duas pessoas. Acreditam que podem separar o ato físico da relação sexual de suas repercussões em termos relacionais, emocionais e até espirituais. Mas isso é impossível.

Talvez você seja um seguidor de Cristo.

Talvez você se considere uma pessoa espiritual. Ou talvez você não acredite em Deus, na Bíblia ou na Igreja. Não importa onde você está espiritualmente, eu o incentivo a continuar esta leitura, porque, uma vez que mergulhar nas páginas deste livro, você começará a ver o sexo de um modo que nunca viu antes. Você irá vê-lo como algo que é muito mais que um ato físico. É uma dádiva divina que é emocional, física, psicológica e, acima de tudo, espiritual. Na mente da maioria das pessoas, o único momento em que sexo e Deus devem se cruzar é em uma exclamação de êxtase: "Ah, meu Deus!" O sexo tornou-se apenas sexo. Mas, enquanto a sociedade leva o sexo ao extremo, a igreja não o considera o suficiente. É preciso resgatar essa dádiva e usá-la do modo orientado por Deus, que está no contexto do casamento, sendo o maior objetivo de um compromisso para toda a vida.

Os cristãos, em geral, pensam que sexualidade é carnalidade; mas, na realidade, é espiritualidade. Nós arrancamos a cama da igreja e arrancamos Deus da cama. Precisamos trazer a cama de volta para a igreja e Deus, para a cama. Ao estudar as Escrituras, vejo a ligação óbvia entre Deus e sexo. Deus tem a ver com amor incondicional — conectando-se conosco —, e esse relacionamento é ilustrado no casamento.

Neste livro, estamos refazendo a conexão entre sexo e Deus e vice-versa. Quero que as pessoas casadas leiam este livro e façam sexo de ótima qualidade. Esse é o meu objetivo, porque Deus é um Deus grande que cria grandes coisas, como o sexo. Durante muitos anos como pastor, palestrante e escritor, tenho trabalhado para dizer que o sexo é algo bonito, porque vem de Deus. Em algum lugar ao longo do caminho, essa mensagem se perdeu, mas isso irá mudar.

O que sete dias de sexo podem fazer

Você tem sexo de qualidade com seu cônjuge? Ao iniciar a *Sexperiência*, você começará a ver algumas razões pelas quais talvez não esteja tendo o tipo de vida sexual que deseja. Se você tem sexo de boa qualidade no casamento, a *Sexperiência* poderá ajudar você e seu cônjuge a irem do bom para o ótimo no quarto.

Talvez você esteja se perguntando como fazer sexo durante sete dias seguidos pode afetar a situação atual de seu casamento. Você talvez esteja pensando: "Tínhamos relações sexuais todos os dias quando nos casamos, mas isso realmente não fez nada pelo nosso casamento."

Mas pense nisto. Normalmente, os recém-casados são mais atenciosos um com o outro, mais atentos um ao outro e mais preocupados em agradar um ao outro. Acredito que o sexo frequente desempenhe um papel nisso.

Ao fazerem a *Sexperiência*, você e seu cônjuge terão relações sexuais durante sete dias com um propósito: maior intimidade um com o outro e, por fim, maior intimidade com Deus. O desafio tem a ver com recapturar parte do que pode ter se perdido quando vocês começaram a ter relações sexuais com menos frequência.

Como recém-casados, vocês não precisavam pensar na intimidade intencional. Vocês se sentiam próximos o tempo todo. A intimidade — física, emocional ou outra — era algo natural em seu relacionamento. Desta vez, enquanto você e seu cônjuge tiverem relações sexuais durante sete dias, vocês ficarão surpresos com o que isso revelará sobre seu casamento. Há muitas coisas — coisas profundas — acontecendo na vida das pessoas e talvez em seu casamento também.

Pode haver dor, desconfiança ou traição em questão. Se isso descreve o estado de seu casamento, a *Sexperiência* pode ser a catalisadora que começará a trazer à tona sentimentos e emoções que foram enterrados. Nesta semana de sexo intencional, vocês seguirão em direção a um lugar de verdadeira intimidade e abertura.

O que significa intimidade? Significa ser *totalmente conhecido*. Intimidade é uma coisa boa. Por isso, no casamento, devemos ser íntimos em todos os sentidos: física, emocional, econômica, psicológica e espiritualmente. A *Sexperiência* irá colocá-los em um caminho rumo a uma intimidade maior, transformando o sexo em uma prioridade durante uma semana inteira e, se Deus quiser, durante muito mais tempo que isso.

A intimidade entre você e seu cônjuge é uma prioridade em seu casamento ou vocês só fazem amor quando encontram tempo para isso? A *Sexperiência* irá lhes mostrar onde vocês estão.

Quando as pessoas aceitam um desafio, elas "aceleram". Então, eu os desafio a aceitarem a *Sexperiência* e levarem para o quarto a melhor estratégia que vocês têm. Esse exercício deixará seu casamento melhor. Centenas de casais aceitaram o desafio, e os resultados foram extraordinários, e não apenas na Fellowship Church!

> *Fiquei sabendo desse desafio no noticiário... Gargalhei alto porque não achei que conseguiria vencê-lo. Meu marido e eu agora temos relações cinco dias seguidos e estamos muito próximos, mais felizes e, todos os dias, agradecemos ao Senhor por suas bênçãos. Como um casal, estamos melhores e não podemos viver um sem o outro.*

Mude seu modo de fazer sexo, mude seu casamento

Não estou dizendo que uma única semana de "festa" mudará seu casamento para sempre. Isso é um processo contínuo que leva tempo e intencionalidade. O que estou dizendo, no entanto, é que a *Sexperiência* lhe dará um alicerce sobre o qual você poderá construir. Isso irá levá-lo a se conectar novamente com seu cônjuge por desafiá-lo a trazer sua melhor estratégia para a equação conjugal.

Aqui está o essencial: o que acontece fora do quarto afeta o que acontece dentro do quarto. E o que acontece dentro do quarto afeta o que acontece fora do quarto. Ao ter mais relações sexuais, você mudará o que se passa fora de seu quarto, onde a maior parte do casamento acontece. Não fique chocado, mas o sexo é algo mental muito antes de ser algo genital. Acontece entre suas orelhas muito antes de acontecer entre suas pernas.

A verdade é que o sexo tem muitos aspectos e dimensões. Os complexos componentes que compõem o sexo não podem ser separados ou reorganizados mais facilmente do que como você ou eu poderíamos separar e reorganizar as estações do ano. E, ao ler este livro e aceitar este desafio com seu cônjuge, você descobrirá quantos desses aspectos desempenham um papel em todas as outras áreas de seu casamento.

Por ora, você pode ter mais uma pergunta antes de continuar a leitura: "O que um pastor está fazendo ao escrever um livro sobre sexo? O que ele sabe?" Bem, Lisa e eu aprendemos muito com nosso casamento, mas eu também aprendi muito com centenas de sessões de aconselhamento para casais casados. Vi em primeira mão os danos que se acumulam quando um ou os dois cônjuges optam por dormir na cama errada. O preço de dormir na cama errada é alto — em termos físicos, emocionais e relacionais. É melhor e muito mais sábio proteger esse nível mais profundo de intimidade ao mantê-lo dentro das diretrizes e grades de proteção do casamento. A *Sexperiência* irá levá-lo a fazer uma jornada que pode impedi-lo de causar esse tipo de devastação e sofrimento. Mesmo que seu casamento tenha sido afetado pela infidelidade, abuso ou negligência, fazer a *Sexperiência* pode ajudá-lo a reconstruir a intimidade em seu casamento e experimentar o êxtase como nunca antes.

A *Sexperiência* pode ajudá-lo, caso você esteja casado há trinta anos, como Lisa e eu, ou há três anos, caso você esteja prestes a se casar ou não vê a perspectiva do casamento a quilômetros de distância. *Todos precisam saber a verdade por trás do projeto do sexo criado por Deus.*

Se você está na estrada para construir um relacionamento íntimo com seu futuro cônjuge, este livro pode ajudá-lo a entender esta união complexa chamada casamento e a entender o que realmente é necessário para fazer com que seu casamento tenha êxito. "Antes de casar" é uma seção especial ao final de cada capítulo que tem por objetivo incentivar casais de noivos a se esforçarem para identificar possíveis barreiras à intimidade no casamento.

Nunca é muito cedo em seu relacionamento para seguir o rumo certo para a intimidade no casamento, e isso começa quando você está com o corpo, a mente e o espírito prontos para receber o cônjuge certo. Estar em jugo desigual é o primeiro elemento para um casamento desastroso, e, se for solteiro, você deve tomar todo cuidado para evitar que isso aconteça com você. "Jugo não é jogo" orientará o leitor solteiro ao longo do material da *Sexperiência* enquanto ele se prepara para o casamento. Enquanto espera que Deus lhe dê o cônjuge certo, você não quer se contentar com alguém na cama, pura e simplesmente. O sexo é uma parte importante e sagrada do casamento e, quando um casal está no mesmo jugo, pode ser sua expressão mais linda e importante de amor.*

A *Sexperiência* recoloca o sexo no lugar a que pertence, um lugar que é sagrado, bonito e honra a Deus. Quando glorificamos a Deus durante o ato sexual, estamos levando o sexo, e o casamento, a um nível jamais visto, um nível divino!

Este livro fala de sexo, mas não de técnicas sexuais. Não se trata de um manual. Este livro fala sobre entender o sexo do modo como Deus o intentou para ser: entre um homem e uma mulher no contexto do casamento. A *Sexperiência* fala

---

* O termo "jugo" vem da Bíblia e é simplesmente uma referência à lavoura. Quando um agricultor arava um campo, ele usava um jugo para unir dois animais. O objetivo era sempre fazer uma linha reta no campo para que o agricultor pudesse emparelhar dois animais de igual força. Quando se trata de casamento, Deus desafia os cristãos a estarem em "jugo" com outros cristãos de mesma opinião. É ilusão imaginar que duas pessoas com crenças espirituais extremamente opostas possam arar um caminho em linha reta para seu casamento e seus filhos no futuro. Isso simplesmente não funciona. Mas, quando duas pessoas de igual força se unem no casamento, o resultado é surpreendente.

sobre o que é e o que não é sexo. Tem a ver com dar prioridade a algo e fazer amor. Fazer do sexo uma prioridade por sete dias irá desafiá-lo a falar sobre a técnica com seu cônjuge e trazer criatividade para o quarto. Ao fazer isso, você descobrirá (ou redescobrirá) a alegria de se conectar com seu cônjuge regularmente, mesmo em meio a uma vida extremamente corrida.

O sexo nunca deve ser o único fundamento de qualquer relacionamento (Cristo deve ocupar essa posição). Mas, uma vez que você é casado, o sexo que você compartilha pode desempenhar um papel importante na sustentação do restante de seu relacionamento. Como dirá qualquer arquiteto, diretor executivo ou treinador, um alicerce fantástico é fundamental para que uma estrutura sólida resista às pressões internas e externas que ela é obrigada a enfrentar. Isso se aplica a edifícios, empresas e equipes esportivas. Isso se aplica a casamentos também.

É exatamente isso que a *Sexperiência* pode ajudá-lo a alcançar: um alicerce sólido sobre o qual você pode construir (ou talvez reconstruir) um casamento melhor, mais forte, mais duradouro e gratificante. E é sobre *isso* que esse desafio trata.

É sobre o que é sexo. É sobre o que o sexo representa. É sobre o que o sexo pode fazer por você em termos físicos, relacionais e espirituais.

Agora, marido e esposa, preparem-se para aceitar o desafio de sua vida (sexual)!

1

Sete dias de sexo

Relembre os primeiros dias de seu casamento. Você e seu cônjuge eram amorosos, atenciosos, cuidadosos e sexualmente atraentes: todas as coisas que faziam você e ele terem vontade de estar juntos. Vocês também faziam amor com muito mais frequência do que agora. Entretanto, algumas coisas aconteceram. As exigências no trabalho, novos interesses e *hobbies* e, mais tarde, os filhos podem criar um abismo entre você e seu cônjuge e impedir suas tentativas de manter a intimidade no casamento. Aos poucos, a complacência entra em cena e a sensualidade vai embora.

À medida que o tempo do casamento passa, quase sempre acontece uma renúncia dupla. Se vocês tiverem filhos, a mulher muitas vezes abdica de sua primeira posição como esposa e se torna, sobretudo, mãe, muitas vezes fazendo malabarismos com uma carreira e a responsabilidade de criar filhos. Ao mesmo tempo, o marido abdica de sua principal posição como marido. Enquanto a mulher muda seu foco para os filhos, o marido se concentra na profissão.

Enquanto essa mudança está acontecendo, vocês se tornam menos um casal e mais como duas pessoas que têm o mesmo endereço. Vocês estão, aos poucos, seguindo em direções opostas. Ela começa a ler romances ou a revista Cláudia, desejando que seu casamento seja tão maravilhoso quanto prometem aqueles artigos. Enquanto isso, ele pode começar a surfar em sites de pornografia na internet ou assistir a vídeos picantes e fantasiar uma vida que inclui muito sexo sem tantas brigas. Em seguida, ele coloca uma colega de trabalho ou vizinha atraente no "bolo", acrescenta algumas pitadas de fadiga e um pouquinho de monotonia, e aí você tem a receita perfeita para um casamento "sem *sussexo*", ao qual falta uma verdadeira intimidade ou uma ligação profunda. Tudo o que você precisa é de um advogado para colocá-lo no forno e apertar o botão para acender. Esse processo acontece lenta e metodicamente, casamento após casamento.

Essa é a fase em que muitos casais modernos se divorciam. Metade de todos os primeiros casamentos nos Estados Unidos acaba em divórcio, mesmo entre cristãos. Ainda que vocês consigam ficar juntos, podem acabar como tantos casais que simplesmente persistem no casamento aos trancos e barrancos.

Não foi isso que Deus intentou para o casamento. Os casais, cristãos ou não, enfrentam muitos desafios hoje que os obrigam a tomar a decisão consciente de lutar pelo casamento.

Os casamentos modernos parecem ser vítimas de uma mentira contada pelo mundo: "Felizmente, vocês terão alguns anos bons, se tiverem sorte. Mas não se surpreendam quando a complacência começar." Infelizmente, muitos casamentos sucumbem a essa mentira, ou a piores, e acabam em um relacionamento destruído. O triste é que os filhos é que realmente sofrem. Mesmo filhos adultos se machucam quando os pais se divorciam.

É hora de inverter essa maldição.

Inverta a maldição

A *Sexperiência* pode ser o catalisador para inverter essa maldição e colocá-lo em um curso em direção à grandeza, à verdadeira intimidade e realização no casamento, o modo como Deus intentou. Ele é o *designer*.

Deus escreveu o manual para o casamento. Então, se você quiser que seu casamento mude, recorra ao manual. A verdadeira mudança só vem de Deus, e nós começamos a mudar quando admitimos que não podemos fazer isso sozinhos; mas Deus pode!

Talvez você esteja pensando: Ed, eu sei que algo precisa ser feito para melhorar nosso casamento, mas eu não acho que tenho força para fazer isso acontecer.

Talvez você esteja se sentindo assim neste exato momento por causa da situação de seu relacionamento. Seu casamento precisa de certo trabalho — talvez um pouco ou talvez muito —, e você não acha que exista alguma coisa que você possa fazer a respeito.

Talvez você esteja pensando: Mas você não sabe o que se passa em nosso casamento. Está muito ruim.

Na maioria dos casos, por piores que sejam as circunstâncias — dor, traição, tédio, complacência —, um casamento morto pode ser ressuscitado, e o sexo pode desempenhar um grande papel. Talvez seja difícil para você acreditar nisso, mas é verdade.

Fazer amor com mais frequência com seu cônjuge pode ser o catalisador para ressuscitar seu casamento, porque Deus está no centro. Durante a *Sexperiência*, voltaremos a usar essas palavras para ajudar você e seu cônjuge a encontrarem o caminho para um casamento maravilhoso.

Você ainda não está convencido de que esse desafio será útil?

Pense nisto. Deus e o sexo são inseparáveis. Afinal, foi ideia de Deus. Quando Adão e Eva fizeram amor pela primeira vez no jardim do Éden, eles não correram para trás de algumas moitas e, depois, saíram e disseram: “Ei, Deus! Adivinhe o que acabamos de fazer? Foi maravilhoso!”

E Deus não lhes disse: "Incrível! Como vocês descobriram isso? Querem dizer que as peças se encaixam perfeitamente? Eu não fazia ideia!"

Não foi assim. O sexo começou no céu. Deus o imaginou. Nosso Deus é a favor do sexo e do casamento. Ele nos deu o sexo, em primeiro lugar, para nosso prazer, e, em segundo, para a procriação. Deus fez o amor para que pudéssemos fazer amor no casamento. Ele é o *designer*.

Toda vez que pensamos em sexo, devemos pensar em Deus, pois, se for feito do modo como Deus planejou, ele é, de fato, um ato de adoração. E, se tratarmos o sexo como um ato de adoração a Deus, estamos pensando do modo correto, pois nosso modo de pensar determina nosso modo de sentir; nosso modo de sentir determina nosso modo de agir. Como eu disse, o sexo acontece entre as orelhas antes de acontecer entre as pernas. Assim, temos de fazer a ligação entre o sexo e o *designer* e descobrir o poder de fazer algo fenomenal!

As pessoas gostam de usar etiquetas de grife, porque elas representam estilo e qualidade fora do comum e do normal. Um casamento comum em nossa cultura, hoje, tem chances de acabar em divórcio ou continuar em uma mediocridade sem fim. Você não quer algo comum ou normal no casamento. A *Sexperiência* irá ajudá-lo a encontrar a saída da mediocridade para um casamento ao estilo de Deus.

Reduzindo a distância

O sexo — sexo saudável — pode revolucionar os casamentos. Essa não deveria ser uma afirmação chocante. Ela não é contrária à intuição. No entanto, quantos casamentos estão praticando o ato sexual — e desfrutando dele — como Deus o planejou?

Em um artigo do New York Times, perguntou-se aos casais o que eles mais provavelmente faziam em um sábado à noite depois que as crianças dormiam. Trinta e oito por cento das mulheres e 33% dos homens responderam "dormir".* No entanto, ao mesmo tempo, um artigo do Los Angeles Times relatou que "aumentar a frequência do sexo no casamento de uma vez por mês para uma vez por semana traz tanta felicidade quanto um extra de 50 mil dólares por ano."** Talvez essa seja a diferença entre Nova York e Los Angeles, mas eu acho que a questão é muito mais profunda do que isso!

Colocando essas estatísticas de outro modo, os casais querem ter mais sexo e acham que isso fortaleceria o casamento, mas há um problema, um *deficit* entre querer e ter. A *Sexperiência* colocará os casais no caminho para reduzir essa distância.

A diferença não aparece da noite para o dia. É um processo metódico que muitos casais aguentam durante anos de um relacionamento monótono. (Observe que eu não disse relacionamento monogâmico.)

Esse desafio ajudará a inverter ou evitar o caminho previsível da monotonia conjugal. E irá orientar você e seu cônjuge em um curso que leva à verdadeira intimidade. É um processo de criatividade e mudança. Sendo assim, não acontecerá da noite para o dia (e a modificação completa não acontecerá nem mesmo ao longo de sete noites).

A mudança nunca é fácil, e a verdadeira transformação vem de Deus. Somente quando começamos a fazer as coisas à maneira de Deus é que podemos começar a estabelecer a mudança que ele tem reservada para nós. Sua semana de in-

* http://parenting.blogs.nytimes.com/2008/11/25/time-for-parent-sex/?apage=2

** http://articles.latimes.com/2006/jul/03/local/me-happy3

timidade intencional dará início a esse processo de transformação para seu casamento. É como uma xícara de café expresso conjugal!

Então, se você está preparado para acordar, se está preparado para tirar seu casamento do buraco, é hora de se levantar e aceitar o desafio.

Talvez você esteja pensando: Sexo durante sete dias? Muito fácil, Ed! Eu pensei que você tivesse dito que seria um desafio. Deixe-me adverti-lo. Uma coisa é fazer sexo durante uma semana enquanto você está de férias em uma ilha tropical sem filhos e sem horários para cumprir. Outra coisa completamente diferente é se comprometer a praticar o ato sexual quando você também está tentando fazer todas as demais coisas que sua vida exige: equilibrar sua carreira, levar e buscar as crianças na escola e no treino de futebol, preparar as refeições, lavar roupa e vencer as barreiras que a vida apresenta no dia a dia.

Este desafio exigirá o compromisso definitivo de vocês dois de praticarem o sexo à maneira de Deus durante sete dias. Alguns de vocês podem pensar que será fácil, mas, por ora, tenho certeza de que muitos reconhecem que, para encaixar sete dias de sexo em sua rotina, será preciso um esforço considerável. No final, entretanto, o esforço e o sacrifício valerão a pena!

Neste exato momento, você nem consegue ver como sete dias de sexo podem fazer diferença em seu casamento, mas eles podem. Não é um esforço tão grande se você realmente pensar no assunto. A intimidade que é intencional e propositada fará brilhar uma luz em seu casamento. Essa luz iluminará os aspectos positivos de seu casamento, mas também dará luz aos lugares mais difíceis que não foram expostos nem explorados em seu relacionamento. E ela mostrará apenas o que vocês precisam fazer para se aproximarem mais como casal.

Qual é a sua ética de trabalho conjugal (ETC)?

"Uau, Ed, sete dias de sexo? Parece divertido, mas você está falando em trabalhar para valer."

Você tem razão! Casamento dá trabalho. O casamento não é a coisa mais fácil que você terá, e pode muito bem ser a coisa mais difícil. Mas ele pode se tornar a melhor, a mais gratificante e a mais satisfatória coisa quando você se esforça!

Quanto você está disposto a trabalhar para salvar seu casamento ou ter um casamento melhor? O que você faria para recuperar a chama do desejo e da intimidade que vocês tinham? Você dá mais do que é preciso ou se senta de braços cruzados e fica esperando para ver o quanto seu cônjuge está disposto a fazer antes de decidir agir? Você vê seu casamento pensando no que você pode dar ou sua única preocupação está apenas no que você pode receber?

Não vou medir palavras. Para ter um casamento melhor e mais gratificante, é preciso tempo e esforço, mas o trabalho vale a pena! Eis o que há de tão paradoxal. Talvez você tenha dito para si mesmo que será preciso muito trabalho para melhorar seu casamento. Bem, se você quiser ter um caso porque parece mais fácil do que investir em seu casamento, você precisa trabalhar nisso também. Um caso extraconjugal requer criatividade, planejamento, sacrifício, tempo, dinheiro, energia e intimidade! Você pode poupar a si mesmo, ao seu casamento e à sua família de muita dor de cabeça ao se comprometer a fazer o mesmo tipo de trabalho com seu cônjuge. No processo, você construirá um casamento maravilhoso e deixará um grande legado, ao mesmo tempo em que poupará a si mesmo e aos outros de um fardo de dor e problemas!

Invista seu maior esforço no relacionamento mais importante do mundo conhecido pela humanidade: o casamento. Pense em seu trabalho. Você se levanta, toma café, toma um banho, se veste para parecer o melhor possível e corre para o escritório para poder chegar na hora. Ao chegar lá, você faz telefonemas, toma iniciativas, colabora com ideias nas reuniões de equipe, apresenta inovações para esta e aquela pessoa, sai à procura de clientes e faz as coisas que o ajudam a ter sucesso, para que possa manter seu emprego. Trabalho é isso.

E se você tivesse esse mesmo nível de energia e esforço para usar em seu casamento? Você já pensou no que aconteceria se tratasse seu escritório ou local de trabalho como trata sua casa? Você não pode aparecer para trabalhar de cueca, dizendo: "Onde está o controle remoto, querida?" Isso não daria certo. Precisamos trabalhar para ganhar a vida e precisamos trabalhar para ter um bom casamento. É preciso trabalho para ter um compromisso regular à noite. É preciso trabalho para passar tempo de qualidade e se comunicar com seu cônjuge. É preciso criatividade para manter seu casamento interessante. É preciso esforço para viver o casamento da maneira que Deus o criou.

Lembro-me de celebrar uma cerimônia de casamento de dois fisioculturistas há alguns anos. Eles, entusiastas de exercícios, estavam em pé ali, fazendo com que eu me sentisse um anão, enquanto eu falava sobre os votos e a troca de alianças. Então, eu disse: "Agora quero que vocês acendam a vela da unidade." A noiva e o noivo se viraram e seguraram as respectivas velas. Por alguma razão, no entanto, elas ficaram presas no candelabro. Então, o noivo grandalhão disse: "Querida, me dê licença!", e ela se afastou um pouco. Eu nunca esquecerei disso. Ele pegou o corpo das duas velas e o inclinou em direção ao centro para iluminar a vela da unidade!

Falando em se tornar uma só carne... Mas esses fisioculturistas me ensinaram uma lição naquele dia. É preciso muita força para se ter um grande casamento. É preciso muito trabalho, é preciso se inclinar muito. Isso é a ETC — ética de trabalho conjugal — em ação.

Lisa e eu temos uma grande ETC, por isso temos um bom casamento. Posso dizer com total confiança que temos um amor mais forte hoje do que quando nos apaixonamos, há mais de trinta anos. Contudo, ainda precisamos trabalhar em nosso casamento. Há mais de 25 anos temos trabalhado nele. E, acredite, houve muitas vezes em que não tivemos vontade de fazer isso, mas persistimos. Somos extremamente intencionais nesse sentido. Passamos por períodos de seca. Passamos por períodos de inspiração. Passamos por tudo isso. Mas, mesmo com tudo pelo que passamos, ainda estamos motivados a continuar o trabalho de melhorar nosso casamento. Isso acontece porque reconhecemos a realidade de que Deus quer o melhor para nosso casamento, e nada ficará no meio do caminho!

Somos um casal ocupado. Entre o ministério, os filhos e as outras demandas de qualquer casal, Lisa e eu temos de trabalhar com afinco para manter nossa ETC. Nós nos esforçamos muito mais para ter um encontro à noite hoje do que há dez anos, porque nossa vida é muito mais ocupada. Precisamos nos esforçar muito mais para arrumar um tempo para nós dois fazermos passeios juntos. Mas vou dizer uma coisa: todo sacrifício, todo passeio, tudo o que fizemos valeu a pena.

Quando você vir ou sentir que seu casamento está à deriva — e isso acontecerá —, você precisará subir à superfície, tomar rapidamente a iniciativa e chegar à crista da criatividade. Essa é a hora de reavaliar sua ETC, porque, se você não tiver cuidado, sua busca romântica pelo seu cônjuge pode levar à previsibilidade. Certo nível de conforto pode resultar da previsibilidade, mas, ao mesmo tempo, pode matar o casamento — previsibilidade, monotonia e, em meio a isso, um casal de filhos.

Faça sua vida girar em torno da carreira e dos filhos, e você verá o que acontece depois disso; e não será nada bom.

Vale a pena o esforço necessário em seu casamento para levar seu relacionamento ao nível que Deus intentou. Pense na *Sexperiência* como uma "semana de trabalho" prazerosa que irá ajudá-lo a chegar a esse nível no casamento. Sete dias de intimidade sexual revelam o trabalho de amor no qual você precisa se envolver se quiser colher as verdadeiras recompensas do casamento.

Deus é um Deus que trabalha. Em Gênesis 1, Deus viu os resultados de sua obra criativa e declarou que tudo era bom. Deus criou o sexo. Deus criou o casamento. E tudo era bom.

A Igreja diz não; Deus diz sim

Toda vez que falo sobre esse assunto fascinante as pessoas ouvem cada palavra com atenção. Pouquíssimas pessoas dormem na igreja quando falo sobre sexo!

Tradicionalmente, quando a igreja falava sobre o tema do sexo, ela normalmente enfatizava somente os aspectos negativos, as proibições: adultério, homossexualismo, promiscuidade. Era sempre sobre as proibições. Tudo o que o solteiro ouve é: "Só tenha relações sexuais quando estiver casado." Tudo o que os casados ouvem é: "Não tenham relações sexuais com outra pessoa." Há muito mais na intimidade sexual dentro do casamento do que as coisas que não se pode fazer! Por muito tempo, a igreja ignorou o ensino do lado maravilhoso do sexo, o que Deus designou para ser excitante, ousado e divertido. O bom sexo, o melhor sexo, é o da Bíblia: um homem e uma mulher dentro do contexto do casamento. Não devemos ter vergonha de falar sobre o que Deus não teve vergonha de criar.

Enquanto a igreja ficou, em grande parte, em silêncio, a sociedade foi muito expressiva com relação ao sexo. Ele está em todo o lugar, mas grande parte do que ouvimos são informações erradas. Algumas pessoas ouvem psicólogos e médicos na televisão e no rádio falando sobre sexo. Esposas e maridos podem pegar dicas sexuais em revistas do tipo Cosmopolitan ou Playboy. Eles podem comprar produtos que já viram na televisão que prometem trazer de volta a vitalidade e a empolgação para o quarto. Outros casais, na tentativa de recuperar a chama que tinham no casamento, podem correr para comprar um manual de sexo parecido com uma daquelas revistas de assuntos técnicos.

O que você diria se eu lhe dissesse que o maior manual de sexo já escrito provavelmente está em sua casa? Talvez ele esteja até sobre a mesinha de centro na sala. Espere, antes de começar a dizer:"De maneira alguma, Ed. Não aceitamos esse tipo de obscenidade em casa", continue a ler. O maior manual de sexo já escrito é a Bíblia: a relevante e infalível Palavra de Deus. Na Bíblia, Deus reservou um livro que mostra como marido e esposa devem fazer amor. O Cântico dos Cânticos (ou Cantares de Salomão) é um livro da Bíblia que mostra como um casal pode e deve ter a satisfação sexual no casamento. Agora, antes que você corra como um louco para pegar a Bíblia empoeirada na mesinha de centro, deixe-me compartilhar algumas coisas com você.

Sexcelência *no casamento*

O principal objetivo da *Sexperiência* é ajudá-lo em sua busca pela *sexcelência* no casamento, o que leva à maior intimidade. E podemos ver esse tipo de relacionamento em Cântico dos Cânticos.

Aqui está o contexto da história de amor em Cântico dos Cânticos: Salomão foi o segundo filho do rei Davi com Bate-Seba. Ele provavelmente tinha boa aparência, porque seu pai era vigorosamente formoso e sua mãe deslumbrante. Depois que Davi morreu e Salomão se tornou rei de Israel, ele se casou com uma sulamita. Salomão e ela sabiam o que realmente significava ter amor e intimidade em cada aspecto do casamento. Do começo ao fim de Cântico dos Cânticos, ele e sua esposa falam sobre seu namoro, seu casamento, seus problemas e como eles lidam com tudo isso.

O legado decisivo de Salomão é que ele foi o homem mais sábio que já viveu, e Cântico dos Cânticos oferece muito de sua sabedoria sobre a satisfação sexual no casamento.

Talvez você não consiga imaginar que alguma coisa picante e sensual possa ser encontrada na Bíblia. Bem, Salomão e sua esposa provavelmente podem ensinar algumas coisas e ajudar a melhorar seu casamento.

Agora, observemos esse casal da Bíblia com um casamento apaixonado para aprendermos algo sobre o que significa ter *sexcelência* no casamento, ao estilo de Deus.

Um marido de sussexo

Marido, se seu objetivo é ter um casamento de *sussexo*, saiba que o primeiro elemento é *fazer o inesperado*. Deixe-me explicar do que estou falando. Uma das maiores necessidades que a mulher tem é uma palavra que começa com "r": romance. "Ro Mance... Ele não jogava no Dallas Cowboys?" Não, não, rapaz. Romance. As mulheres gostam de ser românticas. Elas amam carinho. E *você* tem de preparar o terreno e criar a atmosfera para a sexualidade. Como quem conduz o relacionamento, o homem precisa estabelecer o padrão. O homem precisa entender o que significa a palavra *romance*.

Aqui está um exemplo bíblico de romance extraído de Cântico dos Cânticos. No primeiro capítulo, Salomão disse à sua esposa: "Verdejante é o nosso leito" (1:16,17). A palavra *verdejante* significa "coberto de plantas". Salomão fez algo totalmente inesperado e cobriu de flores a cama do casal. Ele disse: "Querida, veja o quarto." Ele criou a atmosfera. Foi romântico. Construiu uma casa para sua esposa e não lhe disse como seria o quarto. Enfeitou o quarto com cedro. Isso é fazer o inesperado.

Quando foi a última vez que você fez algo romântico totalmente inesperado para sua esposa? Quando foi a última vez que você comprou uma rosa para ela e, simplesmente, apareceu — sem nenhuma razão e sem segundas intenções —, deu-lhe a rosa e disse: "Querida, eu amo você"? Fazer o inesperado será muito útil para você durante a *Sexperiência*.

Meu desafio pessoal, no que diz respeito ao meu lado romântico, é que eu fique repetitivo. Confesso que sou um homem que ainda estraga as coisas às vezes, mesmo depois de trinta anos. Os homens são sistemáticos: fazemos a mesma coisa velha, a mesma coisa velha. Os mesmos restaurantes, o mesmo garçom, a mesma comida, o mesmo filme, a mesma babá, o mesmo modo de fazer amor. Aqui vai uma dica: qualquer coisa que seja repetitiva, rapaz, mata o romance. Mais uma vez: qualquer coisa que seja repetitiva mata o romance. Se você que está lendo isso neste exato momento for uma mulher, provavelmente está fazendo que sim com a cabeça.

Experimente a técnica de Salomão durante a semana de desafio. Então, depois de fazer o inesperado, faça uma segunda coisa: *tome a iniciativa*. Mais uma vez, estamos falando de romance. Rapaz, o romance precisa ser o clima da casa, e o sexo é a consequência. Então, tome a iniciativa.

Pense na época em que você estava namorando sua esposa. Quando você pensava em um encontro, quem fazia os planos? Provavelmente era você. Você pensava no filme, você pensava no restaurante, você ligava com antecedência e fazia com que tudo desse certo, você pensava no que vestiria. Você fazia planos, cortejava a moça e a namorava. Então, você se casou e começou a fazer o que às vezes ainda faço. Pego o jornal e digo: "Ei, Lisa, aqui está o jornal. Se formos ao cinema, tem alguma coisa que você queira ver?" Ou: "Vamos ao nosso restaurante favorito. Na verdade, eles fazem uma promoção ótima se chegarmos lá antes das cinco..."

Não, não, não, rapaz. Isso não funciona quando você está tentando criar um romance! Aqui está outra coisa que fazemos: cortejamos uma mulher e realmente nos envolvemos com o romance; então, nós nos casamos e começamos a agir como se essa tarefa estivesse concluída, porque o homem é orientado para essa tarefa. Após o casamento, tiramos nosso uniforme de romance, e é como se nos aposentássemos. Nós o penduramos na parede com as fotos de casamento e dizemos: "Ei, querida, você se lembra daquela roupa ali? Foi o uniforme que usei quando cortejei você. Mas estamos casados agora, então quem precisa dele?" Parece familiar?

Salomão, um marido sábio, tinha o hábito de ir ao departamento do romance. Ele disse à sua esposa: "Levante-se, venha, minha querida; minha bela, venha comigo." Ele tomava a iniciativa. Ele namorava sua companheira.

Rapaz, você precisa namorar sua companheira como fazia antes de ela ser sua esposa. O que você usava para conquistá-la é o que você ainda precisa usar para mantê-la. E eu não estou falando de um compromisso social com outro casal! Sair com outro casal funcionava na época do baile de formatura. É maravilhoso ter casais com os quais podemos sair, mas, quando você sai com outro casal, você e o outro rapaz acabam falando de esportes, enquanto as mulheres falam sobre a liquidação total do shopping.

Seu relacionamento conjugal, a interação entre duas pessoas, deve ser a prioridade um do outro, exceto seu relacionamento com Jesus Cristo. É por isso que recomendo que você saia com seu cônjuge uma vez por semana, ou pelo menos uma vez a cada duas semanas.

Não importa o que você faça. Não precisa ser caro ou extenso. Mas você precisa fazer *algo*. E você, marido, deve tomar a iniciativa.

Terceiro: marido, *seja não prático*. Não estou inventando isso; é coisa da Bíblia. Procurei a expressão *não prático* no *Roget's Thesaurus*. Você sabe que outra palavra é usada para essa expressão? *Romântico*. Não é demais? Eu sei que temos de ser práticos na vida: ficar dentro do orçamento, ter expectativas aceitáveis para o progresso, considerar as necessidades dos filhos, e assim por diante. Mas, se você for sempre prático, matará o romance. Não estou falando que você tem de sair e se endividar ou algo do tipo. Salomão disse isto: "Venha, minha amada, vamos fugir para o campo, passemos a noite nos povoados." E a palavra *povoados*, no hebraico, significa um hotel pequeno que oferece cama e café da manhã... só para brincar! Leia Cântico dos Cânticos 1:11: "Faremos para você brincos de ouro com incrustações de prata." Não prático.

Odeio admitir isso, mas acho que preciso compartilhar o que fiz uma vez para que você saiba que pode se identificar comigo. No primeiro Natal que Lisa e eu passamos depois de casados estraguei tudo no departamento da não praticidade. Eram 16h45 da véspera de Natal, e as lojas em Houston fechariam em quinze minutos. Saí com meu melhor amigo e decidi correr para a primeira loja de departamentos que vimos. Eu disse ao funcionário: "Vou levar aquele roupão de banho. Tamanho pequeno (esqueci que Lisa tem quase 1,75 metro de altura). Tanto faz, está lindo. Aqui estão os 25 dólares."

Sinceramente, pensei que fosse um grande presente para Lisa. Era algo que ela poderia usar. Prático. Para piorar as coisas, não me dei ao trabalho de embrulhá-lo. Bem, não é preciso dizer que, quando o entreguei a ela, ela não ficou feliz. Não tanto porque lhe dei um roupão. O problema foi que não pensei no presente, não fiz planos para comprá-lo e, certamente, não me esforcei nem usei minha criatividade na compra.

Por fim, você, como marido, deve *fazer elogios*. As mulheres precisam de elogios, especialmente reconhecimentos públicos. Na verdade, elas se alimentam deles. Se você ainda diz espontaneamente algo negativo para sua esposa, isso pode destruir a autoestima dela.

Mas, se você diz algo que realmente expressa admiração, ela se sentirá como uma rainha, sua rainha. Sua esposa, assim como todas as esposas, confia que você, como marido, lhe dê valor e afirmação. Elogie-a em particular também. Nem pense em criticar e tentar controlar sua esposa ao tentar transformá-la em uma mulher que ela não é.

Um amigo meu, o pastor Jentezen Franklin, confessou em um sermão que tentar mudar sua esposa foi um dos maiores erros que ele cometeu no início do casamento. Ele queria que ela "agisse como a esposa de um pregador", em vez de dar-lhe tempo e espaço para crescer com o uso dos dons que Deus lhe deu. Isso era uma fonte constante de briga no casamento até que ele aprendeu a apreciá-la pela pessoa que ela é.

Os cumprimentos são importantes para as mulheres e, consequentemente, importantes para a qualidade e a estabilidade do casamento. Salomão escrevia para sua esposa poesias repletas de elogios.

> Como você é linda, minha amada! Por trás do seu jeito discreto, como brilham os seus olhos! Seus cabelos, que deslizam cheios de vida, são como filetes cristalinos de cachoeiras, que escorrem suavemente pelas encostas. Seu sorriso é radiante e encantador — entoam vida e singela pureza. Seus lábios são como rubis, sua boca é graciosa e atraente, suas faces revelam suavidade e resplendor. O delicado contorno do seu pescoço é um convite — ninguém

> resiste! Seus seios são como duas belas colinas que anunciam as primeias flores da primavera.
>
> (Cântico dos Cânticos 4:1-5 MSG)

Observe que ele foi específico. Seja específico em seus elogios à sua esposa. Não basta dizer: "Bem, a comida estava deliciosa, querida." Diga algo específico como: "Eu realmente gosto do modo como você coloca as frutas em pedaços em volta de toda a borda. Todos os pratos combinam muito bem. Incrível. Realmente incrível."

Não consigo nem começar a explicar os significados por trás de muitas das palavras de Cântico dos Cânticos. São, de fato, coisas muito interessantes, por isso, por favor, reserve um tempo para lê-las e examiná-las. Invista em uma boa Bíblia de estudo com comentários para entendê-las melhor, compre uma Bíblia que use uma linguagem contemporânea e leia-a.

Salomão usou a linguagem e os recursos de sua época para manter forte seu casamento. Hoje diríamos que ele entendia do assunto! Ele apresentou algumas coisas muito vívidas e diretas à sua esposa, e isso deu certo, porque eles eram muito íntimos um com o outro.

Uma esposa de sussexo *(por Lisa)*

Os homens pensam mais em sexo do que as mulheres. Isso já foi provado em estudo após estudo. Os homens pensam em sexo duas vezes mais que as mulheres.* Como esposa, isso provavelmente não é surpresa alguma, certo? O que pode ser uma surpresa, no entanto, é que o marido quer que sua esposa seja mais agressiva sexualmente. A mulher de Salomão era sexualmente agressiva.

---

* CUTRER, William, GLAHN, Sandra. *Intimidade sexual no casamento.* São Paulo: Cultura Cristã, 2001.

É muito importante as mulheres saberem que podem *ser mais agressivas sexualmente.* A *Sexperiência* é um bom momento para praticar como ser mais agressiva. Agora percebo que a sugestão pode irritar algumas mulheres refinadas. Talvez vocês tenham sido criadas para acreditar que boas meninas não devem querer sexo, por isso reprimem o desejo de ter a iniciativa sexual com o marido. Mas ele precisa saber que você o deseja. Sim, seu marido está acostumado a ser o mais ousado, mas ele se sente bem quando você permite que ele saiba que *você o* deseja na cama.

A maioria das esposas jovens não entende a mentalidade do marido com relação ao sexo. Logo no início, tive dificuldade para entender como é o impulso sexual de um homem. Mas, uma vez que fiz perguntas a Ed e ouvi as respostas, comecei a ver como meu marido vê o sexo, como ele pensa em sexo e como posso me aproximar dele de várias maneiras que expressem meu amor e desejo por ele.

Em Cântico dos Cânticos 7:1, Salomão e sua esposa estão sozinhos no palácio. Ela vestiu uma *lingerie* fina, colocou um par de sandálias sensuais e fez uma dança de Maanaim para seu homem. Não sabemos qual foi a dança de Maanaim, mas a sulamita sabia que a dança despertaria o marido. Ela era uma mulher sábia, porque sabia que os homens se excitam mais pela visão, e ela se aproximou dele visualmente. Os cônjuges normalmente se aproximam um do outro do modo como querem que o outro se aproxime deles, mas essa não é a maneira mais eficaz de se aproximar de seu cônjuge. Esposa, abra mão de si mesma e do que você quer para ver o que seu marido quer.

A *Sexperiência* é um bom momento para começar a saber o que agrada ao seu marido. Não pense que, enquanto ele estiver tendo sexo, estará feliz. A sulamita conhecia seu marido o suficiente para saber o que iria excitá-lo. E eis como

Salomão respondeu: "Como são lindos os seus pés calçados com sandálias, ó filha do príncipe! As curvas das suas coxas são como joias, obra das mãos de um artífice" (Cântico dos Cânticos 7:1).

Você não gostaria de ouvir seu marido dizer palavras como essas para você? A que você está disposta a renunciar para ouvi-lo falar assim com você?

Seja mais agressiva. Tome a iniciativa. E, se você estiver se sentindo insegura, ore neste sentido: "Deus, meu marido tem um impulso sexual mais forte do que o meu. Ajude-me a ter um impulso sexual que complete o dele. Ajude-me a entender o impulso sexual dele para que eu possa supri-lo no que ele precisa ser suprido."

Veja, o sexo não é algo egoísta que você faz (ou não faz) quando tem vontade. Ao participar da *Sexperiência* com seu marido, eu a incentivo a diminuir seu ritmo para se beneficiar de modo mais pleno com sua semana de intimidade sexual intencional. Se você investir mais de si mesma na *Sexperiência*, poderá receber mais em troca.

O mundo diz: "Pegue o que você puder enquanto puder." Deus diz: "Concentre-se em dar, e o que você receberá se encarregará do resto. O marido entrega-se à esposa. A mulher entrega-se ao marido."

A segunda coisa que a esposa pode aprender com a sulamita é *se colocar à disposição*. Ela estava à disposição. Ela não ficou dizendo ao marido: "Esta noite não; estou com dor de cabeça." Ela estava vivendo o que o apóstolo Paulo expressou em 1Coríntios 7:4: "A mulher não tem autoridade sobre o seu próprio corpo, mas sim o marido. Da mesma forma, o marido não tem autoridade sobre o seu próprio corpo, mas sim a mulher."

A Bíblia diz aos casados: "Não se recusem um ao outro, exceto por mútuo consentimento e durante certo tempo, para se dedicarem à oração" (1Coríntios 7:5).

Esposa, isso não significa que você pode mudar sua desculpa de "não, estou com dor de cabeça" para "não, estou em oração". A abstinência temporária no casamento tem de ser uma decisão mútua. Ao dizer "não" com frequência para seu cônjuge, você corre o risco de ter a comunhão de vocês quebrada. Não seu relacionamento, não sua salvação, mas sua comunhão. Quando você continua a dizer "não, não, não" para seu marido, isso fere a autoestima dele. Isso também pode tentá-lo, ou tentar você, a cometer adultério.

A *Sexperiência* será sua semana de dizer sim e, ao fazer isso, você poderá começar a ver os benefícios. Você dirá sim para o sexo. Sim para a satisfação. Sim para uma intimidade maior e mais profunda. Sim para que vocês se envolvam como casal em outro nível.

Deus nos dá muito mais respostas positivas do que negativas. As negativas são reservadas para aquelas coisas que ferem nossa comunhão com ele. As positivas são para trazer intimidade ao nosso relacionamento com ele. Dizer sim para seu cônjuge traz intimidade e crescimento.

Você já fez dieta? Se sim, então sabe que, enquanto está de dieta, você só consegue pensar em comida. Quando um cônjuge é obrigado a fazer uma dieta sexual porque o outro diz "não, não, não" o tempo todo, isso leva o cônjuge rejeitado a se concentrar ainda mais em sexo.

Quando o "não" é inevitável, como quando um de vocês, ou os filhos, estão realmente cansados, doentes ou o que for, você pode resolver a situação e dizer: "Tudo bem, vou dizer 'não' hoje à noite, mas vou reservar um tempo específico para você amanhã, quando poderemos ficar juntos como casal." É muito importante fazer isso, porque há muitas tentações lá fora. Vivemos em uma cultura louca por sexo e devemos nos colocar à disposição de nosso cônjuge.

Em terceiro lugar, esposa, *use sua imaginação*. Não coloque sua imaginação na gaveta antes de você e seu marido fazerem amor. A sulamita disse ao marido: "À nossa porta há todo tipo de frutos finos, secos e frescos, que reservei para você, meu amado" (Cântico dos Cânticos 7:13). Em seguida, ela continua a seduzi-lo, dizendo que eles farão amor ao ar livre.

Esposa, você tem uma escolha: você pode ser uma obra-prima sexual ou um mero desenhinho colorido por crianças. Deus quer que você progrida, junto com seu marido, e chegue ao nível de uma obra-prima. Ele quer que você use no quarto com seu cônjuge toda a sua criatividade inspirada por ele. Você não pensaria em servir ao seu marido a mesma comida congelada todas as noites. Use sua criatividade para ter certeza de que não está servindo ao seu marido a mesma resposta sexual congelada noite após noite. Pense em coisas sensuais e pense como seu marido. Ao planejar uma festa, você pensa nos detalhes para deixá-la divertida. Você faz qualquer esforço para criar um clima, um ambiente. Dê ao sexo com seu cônjuge o mesmo tipo de atenção que você dá aos detalhes e à imaginação.

Finalmente, esposa, *fale com franqueza*. A sulamita compartilhou seus sentimentos positivos com o marido. "Como você é belo, meu amado! Ah, como é encantador!" (Cântico dos Cânticos 1:16). Ed já compartilhou com os maridos que as esposas gostam de elogios. Bem, os homens também gostam. Eles gostam de ouvir-nos dizer coisas boas sobre eles. Nossas palavras dão sentimentos de valor e realização ao nossos maridos. Uma das regras do casamento saudável é que a esposa (e o marido também) precisa ser capaz de falar francamente com o cônjuge. Não estou me referindo à honestidade brutal, que é insensível, cruel ou prejudicial. Mas, para alcançar a realização no casamento, é preciso honestidade.

Antes de começar sua *Sexperiência*, eu a incentivo a ir com seu marido a um restaurante tranquilo ou a outro espaço neutro, fugir de tudo e falar especificamente sobre o que lhe agrada neste belo presente de Deus chamado sexo. Por meio de sua comunicação aberta e honesta, com esperança e oração, os muros que têm dividido você e seu cônjuge virão abaixo. Este será um grande momento para vocês começarem o processo no sentido de entender um ao outro, saber o que é preciso para suprir as necessidades do outro e realmente entender o que a Palavra de Deus quer dizer quando fala sobre ter uma vida sexual maravilhosa. Para ajudá-la a começar o diálogo, aqui estão algumas dicas sobre sexualidade que a maioria das pessoas ignora.

1. Estabeleça metas. Para chegar intencionalmente a algum lugar, você deve, primeiro, saber para onde está indo. Sente-se com seu cônjuge e defina metas a respeito do que vocês querem aprender sexualmente sobre um e sobre o outro. Fale sobre a frequência com que você espera ter relações sexuais e outras áreas tangíveis que estejam relacionadas à sua vida sexual um com o outro.

2. Aprenda a explorar. Você não sabe tanto sobre o corpo de seu cônjuge como acha que sabe. Faça perguntas sobre o que dá prazer ao seu cônjuge.

3. Você não lê mentes. Felizmente, ao envelhecer com seu cônjuge, você passará a conhecê-lo profunda e verdadeiramente. Mas, por mais próxima que seja a ligação de vocês, você nunca dominará os processos mentais de seu marido. Portanto, comunique-se. Faça perguntas e esteja disposta a ter respostas.

4. Seu cônjuge não lê mentes. Não guarde seus sentimentos em uma vasilha frágil, pensando: Se ele realmente se importasse, saberia como eu me sinto. Divida seus sentimentos, desejos e até mesmo preocupações de um modo simpático e apropriado.

Entre lá e faça!

A *Sexperiência* não é um truque. É real e envolve muito mais do que ter relações sexuais durante sete dias. Este primeiro capítulo apresentou muitas informações a serem assimiladas pelo marido e pela esposa e requer um esforço sério para negociar algumas coisas difíceis.

Para alguns, a semana de desafio reacenderá as chamas da paixão. Vocês voltarão a um nível no relacionamento para onde desejaram voltar, mas, por qualquer motivo, não conseguiram alcançar.

Mesmo assim, eu sei que alguns de vocês têm feridas tão profundas que não se sentem muito entusiasmados com uma semana de sexo. Enquanto alguns casais esperam ansiosamente por essa semana, por mais desafiadora que possa ser, sete dias de sexo farão com que alguns sentimentos reprimidos ou negativos venham à tona para muitos outros casais. Talvez traição, falta de disponibilidade, crítica, rejeição ou infidelidade tenham rompido os fios de seu laço conjugal, e seu casamento está puído.

"Ela disse não tantas vezes que eu estou cansado de ser rejeitado, por isso parei de tentar."

A rejeição é dolorosa, especialmente quando acontece continuamente. Você precisa dizer à sua esposa como se sente a respeito da rejeição dela. Às vezes as mulheres pensam que a rejeição não afeta os homens, como se tivéssemos um revestimento de poliuretano sobre nossos sentimentos. Ela precisa ouvir de você que não é verdade.

"Lisa, eu simplesmente não consigo esquecer o que ele fez. Eu não confio mais nele. Ele diz que está arrependido e que isso não vai acontecer de novo, mas como posso acreditar nele?"

A traição é o maior obstáculo a ser vencido, e isso leva tempo. Mas, ao mesmo tempo, seu casamento não pode seguir em frente se você estiver presa no poço da falta de perdão. Faça com que ele saiba como você se sente e como está machucada com a traição dele. Em seguida, dê um passo enorme em direção ao perdão. Dê ao seu marido a chance de reconquistar sua confiança.

Durante a *Sexperiência*, se seu vínculo matrimonial estiver forte ou desgastado, você será forçado a falar sobre problemas e enfrentar aqueles que talvez estejam enterrados há muito tempo. Isso pode até mesmo levá-lo a bater à porta de um conselheiro. Não evite isso. Enfrente o problema de frente.

O homem, em particular, muitas vezes hesita em pegar o telefone para conversar com um conselheiro cristão. Mas, se você se dispõe a contratar um treinador para seu jogo de futebol, um treinador para seus exercícios físicos ou um mecânico para seu carro, você deveria estar mais do que disposto a contratar um "treinador" para ajudá-lo no relacionamento mais importante do qual você fará parte.

Este desafio consiste em fortalecer seu casamento, por isso, se for preciso aconselhamento para conseguir essa força, então faça!

Sejam quais forem os frutos que a *Sexperiência* produzirá em seu casamento, quero incentivá-lo a não fazer disso uma aventura legalista. Ele tem um objetivo, mas é divertido. Não se deixe prender por detalhes do tipo "Bem, viajarei de quarta-feira a sexta-feira, então o que devemos fazer?", ou "Eu tenho um filho doente em casa que precisa de mais atenção", ou "Um prazo inesperado no trabalho apareceu do nada."

Se você se deixar levar pelas minúcias do quando, como e onde, não verá o *porquê* da situação como um todo. Concentre-se, em vez disso, em fazer o que você puder por seu cônjuge, lidando com quaisquer problemas que surjam e conectando-se na pessoa que Deus lhe deu.

Na maioria das vezes, quando falamos de sexo, temos a tendência de ficar vermelhos e dar risadinhas, mas eu realmente espero que você se dedique a levar a sério todos os aspectos da

Sexperiência. Ele funciona! Existem poucas coisas que trazem tanto benefício ao mesmo tempo em que dão tanto prazer.

Lisa e eu esperamos que a *Sexperiência* coloque você e seu cônjuge no caminho para uma base sólida de realização conjugal. Temos uma dádiva dada por Deus — o sexo — e devemos usá-la em uma aliança que une vidas chamada casamento.

Como você descobrirá, sua semana de desafio irá forçá-lo a trazer sua melhor jogada para a equação conjugal. E, ao fazer isso, você reacenderá algumas daquelas chamas conjugais, abrirá as linhas de comunicação e se verá na trajetória certa que ajudará você e seu cônjuge a aproveitarem ao máximo sua vida juntos. Sua experiência pode ser como esta:

> *Nossa! Que impacto [a Sexperiência] causou em nossa vida! Meu casamento estava supurando dor e angústia por uma traição no passado, feridas profundas de palavras pungentes que foram proferidas e um sentimento geral de destruição. Por obediência a Deus, resolvi participar [da Sexperiência] e sou grata por isso. Orei pela cura de nosso casamento há anos, mas foi quando tomei a decisão de fazer isso para servir ao meu marido — e por amor a ele — e a Deus que comecei a sentir certa restauração em nosso relacionamento.*

Então, se você está pronto para descobrir tudo isso e muito mais, comece o desafio. Agora entre e comece a fazer sexo!

Passos práticos

1. Sente-se com seu cônjuge para definir a hora de começar sua *Sexperiência*, tendo em mente que nunca haverá um momento perfeito.

2. Faça preparativos antes de começar para que você possa eliminar a maior quantidade possível de obstáculos à intimidade (por exemplo, contratar babás, fazer reservas para jantar, reagendar compromissos etc.).

3. Discuta o resultado que você está esperando depois de completar sua primeira *Sexperiência*.

4. Tome as medidas necessárias para esclarecer qualquer atrito persistente entre você e seu cônjuge antes de começar a *Sexperiência* ou, pelo menos, entre em acordo com ele no sentido de que os problemas do passado não terão permissão para interferir.

5. Ore junto com seu cônjuge e também sozinho antes de começar sua *Sexperiência*. Peça a Deus para dar-lhe um espírito reto que esteja mais interessado em dar e agradar ao seu cônjuge do que em receber.

Antes de casar

Você pode ter lido este primeiro capítulo e chegado a esta conclusão: "Isso nunca vai acontecer conosco. Nunca vamos nos cansar um do outro, porque não vamos deixar que nada se coloque entre nós como marido e mulher." É bom ter essa meta, mas a realidade do casamento e as experiências de milhares de casados dizem que isso pode acontecer — e provavelmente acontecerá — em seu casamento. A boa notícia é que, ao saber que essa é uma possibilidade, você pode se prevenir contra as coisas que matam a intimidade.

Antes de começar, falem seriamente sobre suas expectativas, incluindo o sexo. Como noivos, vocês têm a oportunidade de estabelecer uma comunicação aberta e honesta um com o outro agora. Se vocês não fazem aconselhamento pré-nupcial, por favor, procurem fazê-lo. Seu conselheiro pode até orientá-los por meio de conversas sobre o que vocês deveriam esperar um do outro sexualmente... Não detalhes, mas uma compreensão geral das expectativas sobre sexo. Saibam quantas vezes seu futuro cônjuge quer ter relações sexuais. Discutam comportamentos "além dos limites" e "desvios" sexuais.

Alguns problemas só podem ser resolvidos no contexto do casamento; no entanto, não é muito cedo em seu período de noivado estabelecer as bases para a intimidade conjugal por meio da honestidade e da comunicação. O melhor conselho será de um conselheiro que discuta tudo por uma perspectiva bíblica. Quando um conselheiro que está preparado e instruído com o que é preciso para orientar casais combina esse preparo com o conhecimento e a direção da Bíblia, vocês estão no caminho certo para o sucesso como casal.

Jugo não é jogo

É impossível discutir problemas conjugais sem ser casado. Mas não tenha tanta pressa a ponto de se casar com uma pessoa que não é um bom partido para você. Leve a sério o conselho bíblico acerca do mesmo jugo (emparelhado). Isso pode diminuir a frequência de seus encontros, mas, certamente, aumentará a qualidade deles.

A Palavra de Deus nos adverte para que não nos unamos à pessoa errada (ver 2Coríntios 6:14). É muito importante ter uma boa união no casamento, e, como uma pessoa solteira, você tem a oportunidade de ter certeza de que, daqui para frente, só sairá com possíveis cônjuges com quem você esteja igualmente ajustado.

Enquanto espera pelo companheiro certo, o que você pode fazer é se esforçar para levar o que há de melhor em você ao seu futuro relacionamento conjugal. Se você já foi casado e espera se casar novamente, pense nas barreiras à intimidade que surgiram em seu casamento anterior. E, se você não fez aconselhamento, considere a possibilidade para ter certeza de que não levará problemas de seu velho relacionamento a um relacionamento futuro.

Uma vez que você não terá sexo por sete dias, tente fazer outra coisa que seja adoração como serviço à outra pessoa. Afinal, casamento tem a ver com dar. Você pode se oferecer para ler em um abrigo de mulheres ou de crianças ou fazer algum tipo de serviço para idosos.

Talvez você perceba que seu relacionamento com Deus não é o que deveria ser. Esse relacionamento deve ser sua primeira preocupação. Concentre-se esta semana em criar intimidade com Deus. Comece passando um tempo a sós com ele em oração todos os dias. Diga a ele o quanto você o ama. Agradeça a ele pelas maneiras como ele se move em sua vida. Em seu tempo com Deus, você pode usar sua criatividade para se achegar a ele e se colocar totalmente à disposição dele. E, ao oferecer seu amor e gratidão a Deus, ouça-o enquanto ele lhe diz que o ama, que você é importante para ele e o quanto ele deseja que você tenha o melhor na vida.

2

Pare de dar sexculpas... *e comece a fazer amor*

Há alguns anos, Lisa e eu fomos ao trigésimo encontro de minha turma do Ensino Médio. Foi maravilhoso ver tantas pessoas do passado e ficar a par do que está acontecendo na vida delas, aonde elas chegaram e o que têm feito. Mas há algo interessante com relação a encontros. É um momento em que tentamos trazer "aquela época" para o "agora". O local estava agitado e a decoração combinava com o ambiente, a sensação e a vibração do ano em que nos formamos — estava tudo muito parecido com a década de 1970. O grupo que organizou o encontro realmente fez um grande trabalho no sentido de voltar ao passado e trazê-lo ao presente. O grupo manteve o presente no passado.

Depois do encontro, pensei um pouco mais sobre esse conceito de manter o presente no passado. Isso me fez pensar no casamento, porque um casamento maravilhoso faz o mesmo. Pegamos o passado e o trazemos para o presente. Pegamos o passado — os votos que fizemos, o cuidado que tivemos e a paixão que sentimos — e tentamos fazer com que ele ainda seja relevante no dia a dia.

Mas isso acontece intencionalmente, não por acaso. Fazemos um esforço intencional para manter nossos votos no presente. Fazemos um esforço intencional para manter nosso compromisso com o casamento no presente. Marido e esposa devem fazer um esforço intencional para manter o relacionamento puro, vivo e envolvente. Sua decisão de aceitar a *Sexperiência* é um grande passo em direção a esse tipo de intencionalidade. Poderia ser o primeiro passo para restaurar a vitalidade da verdadeira intimidade com seu casamento.

As pessoas tentam reconquistar a juventude durante os momentos de encontro da turma. Elas não medem esforços para reacender amizades, e talvez até romances antigos entre os solteiros. É isso que deveria acontecer no casamento. É claro que as pessoas crescem no casamento, e deveriam. Lisa e eu não somos as mesmas pessoas que éramos quando nos casamos na década de 1980. Nenhum casal deveria se esforçar para permanecer do mesmo modo que era quando se casou. O que o casal deveria se esforçar para manter ou recuperar, no entanto, é o romance, a consideração e a intimidade que os dois tinham no início do casamento.

Em todos os anos — décadas, na verdade — em que fui pastor, realizei mais casamentos do que posso imaginar. Conheço todos os tipos de votos. E quando os noivos recitam os votos, a maioria está em outro planeta. É como se eles estivessem tendo uma experiência fora do corpo. Eu sei que isso aconteceu comigo e com Lisa. Os casais não entendem totalmente o que estão dizendo. E, sem dúvida, não entendem todas as implicações dos votos. Demora um pouco para que a realidade desses votos se manifeste. Um casamento maravilhoso, no entanto, manterá esses votos no presente muito tempo depois de estar plenamente consciente de seu significado.

Então, ao fazer a *Sexperiência*, quero que você restaure e renove seus votos — mesmo que os tenha feito há apenas seis meses. Recite esses votos para seu cônjuge antes de começar o desafio e, depois, faça isso regularmente, talvez uma vez por mês.

"Mas você não entende. Faz muito tempo que fizemos nossos votos. Eu nem lembro o que dissemos!"

Existem alguns votos matrimoniais bíblicos na internet que você pode usar para recitar para seu cônjuge. Repetir seus votos regularmente é algo que ajuda os casais a se lembrarem do vínculo que eles têm, algo sagrado entre eles e Deus.

A ideia de uma renovação contínua do vínculo conjugal parece maravilhosa, e é. É de conhecimento geral, chegando ao ponto de se tornar um clichê, que os casados querem proximidade e intimidade sexual, mas, muitas vezes, eles não têm isso com a frequência com que gostariam. Para muitos, as responsabilidades para com a família e o trabalho sufocam seus melhores esforços para ter intimidade. Muitos de vocês já pegaram este livro e se comprometeram com a *Sexperiência* porque querem voltar a uma posição de proximidade física, emocional, psicológica e espiritual no casamento.

No entanto, ter o desejo de proximidade e intimidade não é suficiente. Muitos casais desejam proximidade, mas, de alguma maneira, a vida se torna um obstáculo. Questões não resolvidas e responsabilidades reais podem interromper o fluxo de intimidade no casamento. Seu medidor de proximidade fica desajustado e desequilibrado.

O *feng shui* é uma antiga prática chinesa usada milhares de anos antes da invenção da bússola como um sistema de medição para trazer harmonia e equilíbrio à arquitetura e à vida. Em usos mais modernos, arquitetos, decoradores e organizadores profissionais adotam esse conceito para ajudar as pessoas a levarem harmonia para a casa e a área de trabalho. Qualquer um deles lhe dirá que a desordem é um grande obstáculo ao *feng shui*.

Muitos casamentos poderiam usar um pouco de *feng shui*. Quando não há "vibração" no casamento, isso normalmente leva à ausência de sexo. E assim como acontece com seu ambiente físico, a desordem pode ser uma grande barreira à intimidade no casamento. Não estou falando de desordem física neste momento (embora decoradores e organizadores digam que isso mata terrivelmente o romance também). Muita desordem mental e emocional pode impedir a intimidade no casamento. Chamo essas desordens de *sexculpas*.

Talvez você pense que com seu casamento é diferente, mas todo casal se depara com *sexculpas* similares que impedem a intimidade: trabalho, filhos, sentimentos não resolvidos, falta de tempo e falta de motivação. Nenhum casamento está imune. O inimigo quer que marido e esposa caiam em um poço de tédio e de rotina, porque ele quer que consideremos o casamento um sofrimento. Ele quer que nos divorciemos, tenhamos casos extraconjugais, sejamos consumidos pela pornografia na internet e gastemos nosso precioso tempo com pensamentos lascivos, em vez de nos concentrarmos na melhor maneira de servirmos ao nosso cônjuge.

Satanás nos seduz para que acreditemos que nossas *sexculpas* são razões legítimas para não sermos íntimos. O cônjuge que dá *sexculpas* pode acreditar que elas sejam totalmente válidas, mas, na verdade, são apenas uma ferramenta que o inimigo usa para pôr uma barreira entre o marido e a esposa. Essa barreira não precisa ser muito grande para oferecer espaço de manobra suficiente para que alguém ou algo mais entre e crie abismo e caos.

Jesus afirmou que no casamento os dois cônjuges se tornam um: "Assim, eles já não são dois, mas sim uma só carne. Portanto, o que Deus uniu, ninguém separe" (Mateus 19:6). Talvez no dia do casamento você estivesse muito nervoso para pensar naquele monte de coisas que o pastor disse. Se você teve uma cerimônia de casamento cristã, foi advertido, no primeiro dia de casamento, a não deixar que algo criasse divisão em sua aliança — parentes por afinidade, filhos, profissão, *sex-*

culpas. Então, depois de todas as palavras e votos, você e seu cônjuge atravessaram o corredor da igreja sentindo como se fossem um: "Somos nós contra o mundo."

Agora, voltemos ao mundo real por um momento. Após o entusiasmo inicial da felicidade conjugal — seja de dias, semanas, meses ou mesmo anos —, em algum momento, a vida se coloca no meio do caminho da intimidade conjugal. Um dos filhos fica muito doente. É preciso trabalhar horas a mais até que um grande projeto esteja concluído. O cano de água estoura e causa danos na casa. Essas coisas acontecem na vida, mas são diferentes das *sexculpas* que atravancam o relacionamento. As *sexculpas* são bagagens mentais e emocionais que impedem a intimidade e fazem com que seja difícil para os casais manterem o vínculo no casamento.

"Mas, querido(a), estou cansado(a)!"

"Não tenho um segundo livre na agenda."

"Estou com dor de cabeça."

"Eu ainda estou furioso(a) com..."

"Eu pareço gordo(a)?"

"Filhos. Filhos. Filhos."

"Eu só não estou com vontade."

É claro que as questões mais importantes podem ser obstáculos, mas, por ora, precisamos lidar com as raposinhas que a Bíblia diz que arruínam as vinhas.

No primeiro capítulo, observamos a sabedoria de Salomão e de sua esposa no casamento. Mas veja o que a sulamita diz no capítulo dois sobre as raposinhas.

Salomão pediu que ela viesse até ele. Ela respondeu: "Apanhem para nós as raposas, as raposinhas que estragam as vinhas, pois as nossas vinhas estão floridas" (v. 15).

Ela está dizendo que os casais precisam impedir que as coisas se coloquem no meio do caminho de seu relacionamento de amor. É da responsabilidade do marido e da esposa manter as raposinhas, ou seja, a desordem, a distância, para que haja tempo, oportunidade e desejo de fazer amor.

Normalmente, a falta de intimidade sexual não é uma decisão mútua, mas se desenvolve a partir de muitas *sexculpas*, que nem sempre partem da mulher.

Parte do problema é que o sexo fica emaranhado em outras questões e, então, é usado como último recurso. Os cônjuges nunca devem usar o sexo como uma recompensa ou uma arma. *Nunca*. Se você estiver ouvindo um constante "não, não, não" no quarto, quem está dizendo "não" está errado. Privar o cônjuge da intimidade sexual é pecado. A Bíblia diz ao marido e à esposa: "Não se recusem um ao outro, exceto por mútuo consentimento" (1Coríntios 7:5).

Lisa e eu temos cinco cachorros, e três deles pesam mais de 45 quilos. Eles são enormes, fortes e, às vezes, um pouco assustadores. Uma vez que uma cerca comum não pode contê-los, instalamos uma cerca elétrica subterrânea no quintal, e os cachorros usam coleiras especiais. Quando chegam perto da cerca, a coleira emite um bipe e, se eles pisarem no limite, levarão um choque que os impedirá de ultrapassá-la.

Quando se trata de sexo, alguns cônjuges podem se sentir como se tivessem uma coleira que dá choque. Ele tenta iniciar: "Vamos lá, querida. Hoje é a grande noite." *Zzzzap!* Ele leva um choque: "Não ultrapasse este limite!"

Em nossa casa, podemos desligar a cerca elétrica e os cães nem perceberem. Eles não mais se dão ao trabalho de chegar perto da cerca. Muitos cônjuges nem se dão mais ao trabalho de se aproximar da zona de intimidade, porque não querem ser eletrocutados novamente.

Ao reagir negativamente aos avanços de seu cônjuge, você pode humilhá-lo com sua resposta. Ao rejeitar constantemente seu cônjuge, você está expressando que deve haver algo de errado com os desejos dele ou que as necessidades dele não são legítimas. É preciso certa vulnerabilidade para pedir que suas necessidades sexuais sejam satisfeitas, por isso ser rejeitado é embaraçoso e frustrante.

Além disso, as respostas negativas podem interferir em sua comunhão com Deus. O pecado de privar seu cônjuge da satisfação de suas necessidades sexuais causa problemas em sua comunhão com o Senhor. O relacionamento conjugal é um reflexo do relacionamento que Cristo tem com a igreja. Por causa dessa correlação especial, quando seu relacionamento conjugal é hostil, seu relacionamento com Cristo também é afetado negativamente.

Além do mais, por meio da rejeição constante, você está instigando mais tentações para você e seu cônjuge. Infelizmente, quando os cônjuges não têm aquilo de que precisam em casa, muitas vezes eles procuram em outro lugar.

Às vezes, as exigências da vida, de fato, tornam-se obstáculos à intimidade. A vida é assim. Houve muitas vezes em que Lisa e eu tivemos de dizer não por causa de coisas que surgiram. Contudo, nosso "não" não se traduz como rejeição pessoal. Ninguém deve se sentir forçado a ter relações sexuais, mesmo com o cônjuge. Não há problema algum em dizer "não", mas diga isso com uma ressalva: "Não. Que tal amanhã?" Se você estiver pedindo ao cônjuge que faça uma constante dieta baseada no "não", então você está matando a intimidade e pecando diante de Deus.

Eu sei que alguns maridos estão vibrando enquanto leem isto. Tudo bem, posso ouvir isso. Mas eis o outro lado da moeda. Alguns homens tratam a esposa tão mal que o que mais eles deveriam esperar? Não é de admirar que ela esteja dando *sexculpas*, em vez de sexo.

Uma noite, Lisa e eu jantamos com algumas pessoas, e um dos casais presentes era um homem famoso e sua esposa.

Durante o jantar, a conversa foi fluindo, e esse homem começou a contar algumas de suas experiências. Ao falar sobre sua carreira e tudo o que ele havia conquistado, ele completou, dizendo: "Minha carreira é o que mais amo. Nada no mundo é mais importante para mim." No momento em que ele disse isso, olhamos para sua esposa, e seu semblante e comportamento refletiram alguns sentimentos sérios de rejeição e dor. Quando vimos a mulher baixar a cabeça, todos nós compartilhamos de seu constrangimento, e ficou claro que faltavam intimidade e carinho a esse relacionamento. O que mais poderia ser dito?

O marido, como chefe da casa, deve liderar na área que consiste em estabelecer o tipo de ambiente que promove intimidade. A liderança na Bíblia — e isso inclui liderança em casa — começa com serviço e termina com sacrifício. Alguns cristãos fazem alarde com o versículo bíblico que diz: "Mulheres, sujeite-se cada uma a seu marido, como ao Senhor" (Efésios 5:22), e isso é importante. É sempre um tema que tira do sério e promete fomentar discussões e todos os tipos de opiniões. Mas há algumas ressalvas nessa passagem que raramente são discutidas.

A primeira é a questão do serviço, que pode ser vista pouco antes disso, em Efésios 5:21: "Sujeitem-se *uns aos outros*, por temor a Cristo." É incrível como as pessoas evitam falar dessa parte. Marido e esposa devem se sujeitar um ao outro. Submissão mútua significa estar mais preocupado em satisfazer as necessidades do outro do que em brigar para saber quem está no controle da relação.

Depois vem a parte do sacrifício, que está em Efésios 5:25: "Maridos, ame cada um a sua mulher, assim como Cristo amou a igreja e entregou-se por ela." Estou plenamente convencido de que, se você amar sua esposa o suficiente para morrer por ela e demonstrar essa profundidade de sacrifício no casamento, ela não terá problema algum em se sujeitar a você e demonstrar-lhe gratidão, sendo amável e íntima no relacionamento.

Marido, comece a servir e a se sacrificar, e veja o que acontece. Você pode se surpreender ao se ver casado com uma mulher totalmente diferente. E é aqui que muitos maridos cometem erros. Como chefe da casa, seu serviço e sacrifício devem ser demonstrados de várias maneiras que sejam importantes para ela, e não como você *acha* que deveria ser importante para ela.

O casamento deveria ser uma competição em que marido e esposa procuram servir um ao outro, procuram sempre oportunidades para considerar as necessidades do cônjuge. Ao fazer a *Sexperiência*, você se lembrará de que ele significa servir um ao outro.

A conclusão bem-sucedida do desafio exige que ambos os cônjuges coloquem a atitude de servir acima do próprio ego. Isso inclui *sexculpas*. Vejamos uma maneira de acabar com as *sexculpas* comuns no casamento pelo que elas realmente são.

"Mas querido(a), estou cansado(a)."

Não é segredo para ninguém que o impulso sexual entre homem e mulher é diferente, e também não é segredo que os homens e as mulheres têm dificuldade para entender a diferença no modo como seu cônjuge pensa em sexo.

Em seu livro *Give & Take: The Secret to Marital Compatibility* [Dar e receber: o segredo para a compatibilidade conjugal], o psicólogo cristão dr. Willard F. Harley Jr. apresenta uma ilustração maravilhosa que, de fato, deixa claro para as mulheres uma compreensão sobre o impulso sexual do homem e pelo que ele passa quando é rejeitado.

Imagine um banquinho com um copo de água em cima dele. O marido é o banquinho ao lado e a esposa está perto dele. A esposa, por alguma razão, está imobilizada. Seu marido é o único que pode pegar a água para ela.

Eis o que acontece, diz Harley. A mulher vira-se para o marido:

— Querido, por favor, coloque um pouco de água no copo para mim? Estou com sede.

O marido vira-se e responde:

— Não estou com vontade agora. Não estou a fim; estou um pouco cansado; quem sabe daqui a algumas horas.

Horas se passam. Mais uma vez, a mulher se vira para o marido:

— Querido, estou com sede. Por favor, me dê um copo de água?

O marido responde:

— Olha, eu já disse que estou cansado. Tive um dia longo, tá?

Em seguida, a mulher começa a ficar irritada. Ela consegue sentir a temperatura subindo. Ela quer muito um copo de água naquele momento, então ela começa a pedir um copo de água:

— Eu quero um copo de água. Só você pode me dar o copo de água. Dê-me um pouco de água!

O marido olha para a esposa, vira-se abruptamente e diz:

— Bom, você não vai ter água com uma atitude assim.

O marido volta à mesma cena um dia depois e, naquele momento, a esposa está furiosa. Finalmente, o marido diz:

— Tudo bem! Aqui está sua água. Beba!

Enquanto está engolindo a água, você acha que a esposa está satisfeita? Você acha que sua sede, de fato, está saciada? Na verdade, não. Ela está pensando que terá sede novamente e, se quiser outro copo de água, é melhor ter cuidado com o que dirá ao marido.

O mesmo acontece com o impulso sexual humano. Assim como a água sacia a sede física, o sexo no casamento sacia a sede de cada cônjuge de modo físico, espiritual, emocional e psicológico. O sexo deve ser dado e recebido com o espírito certo, se quiser realmente saciar esses desejos.

"Não tenho um segundo livre na agenda."

O homem é tão compartimentado, tão estruturado, que a maioria não faz ideia de como é o contexto geral do sexo no relacionamento conjugal. Na maior parte do tempo, ele é unidimensional. Enquanto eu estava embarcando em um avião certa vez, passei por um grupo de mulheres. Uma delas estava lendo um livro intitulado *All About Men* [Tudo sobre os homens]. Então, olhei para ela e perguntei:

— Tudo sobre os homens, hein?

Ela respondeu:

— Sim, é um livro pequeno.

Eu quase morri de rir.

A casa pode estar imunda. Vocês podem ter tido uma briga feia cinco minutos antes. Se você for um homem, ainda é provável que dê um tapinha no bumbum de sua esposa e pergunte: "Ei, ei, ei! Que tal você e eu irmos para o quarto?"

A mulher, por outro lado, tem muitos aspectos e muitas dimensões. O contexto que envolve a parte sexual do relacionamento é importante para ela. Ela precisa saber que tudo está perfeito do lado de fora do quarto para que tudo seja perfeito entre os lençóis.

Então, o que fazer neste sentido? Sim, há aqueles momentos em que o marido e a mulher estão a fim de sexo, em que ambos querem fazer amor. Mas o que fazer quando um está preparado e outro não (que é o que acontece com mais frequência)?

Entre no ritmo da paixão. Marido, diminua o ritmo. Deixe de ser um velocista o tempo todo e faça uma corrida de longa distância com sua esposa. Às vezes, é divertido correr devagar.

Esposa, nem sempre corra tão devagar. Tente algumas corridas de velocidade.

Quando o marido está pensando nas necessidades da esposa, e a esposa, nas necessidades do marido, temos duas pessoas que entendem o ritmo da paixão. Se você quiser que seu cônjuge entre no clima, aproxime-se dele do modo como ele quer e precisa para provocar a resposta que você deseja.

"Estou com dor de cabeça."

Ninguém tem dor de cabeça o tempo todo, mesmo que você seja propenso a enxaquecas. Mas se a mulher, por exemplo, sempre tem dor de cabeça quando o marido inicia o ato sexual, é hora de perguntar por que e chegar à raiz do problema. Depois que muitos homens se casam, eles pensam: "Ei, já me casei mesmo. Posso perder a boa aparência e começar a deixar a barriga crescer. Posso dar um tempo na higiene, rapaz. E se eu for jogar futebol depois do trabalho e chegar em casa com vontade de fazer um pouquinho de amor antes de tomar banho? Mas ela continua a dizer não."

Alguns homens pensam que a aparência de dez, vinte ou trinta anos atrás ainda é boa o suficiente para atrair a esposa. O problema é que eles ainda andam por aí com aquela banca de atleta do Ensino Médio, com o mesmo short velho da educação física, a regata esfarrapada, a barba áspera por fazer, talvez com mais peso e menos cabelo. Ele pensa: "Ei, querida! Caso você não saiba, ainda tô bem!" Enquanto isso, a mulher fica se perguntando como é possível ele não ter a menor ideia do motivo pelo qual ela não quer que ele a toque.

Em resposta ao cônjuge que é desafiado quanto à higiene, a esposa põe uma daquelas camisolas do tipo "Hoje não, querido" antes de ir para a cama. Você sabe, aquela que grita: "Estou com dor de cabeça!"

Podemos rir desses cenários, mas eles representam um problema real em muitos casamentos. Antes de dizermos "eu não faço isso", muitas vezes completamos com um comportamento que diz "eu faço". Colocamos o sexo como último item da lista de prioridades de nosso casamento, por isso não tentamos manter o corpo que Deus nos deu.

"Eu ainda estou furioso(a) com..."

A Bíblia nos aconselha a não deixar que o sol se ponha sobre nossa ira (ver Efésios 4:26). Essa é uma boa diretriz para o comportamento humano, mas especialmente para os relacionamentos íntimos. Sei que, às vezes, há feridas em um relacionamento das quais nós, como seres humanos, simplesmente não conseguimos nos recuperar um dia. Levamos tempo para nos recuperar de uma infidelidade, comportamento abusivo, mesquinhez e situações similares e, depois, reconstruir a confiança, normalmente com a ajuda de um conselheiro cristão qualificado.

Mas o casamento pode significar lidar com muitas coisinhas que explodem como coisas gigantes porque não perdoamos e esquecemos. Normalmente, é algo que podemos controlar. Quando ficamos durante dias com raiva por causa de coisas bem insignificantes, é porque optamos por permitir que elas inflamem e fiquem mais dolorosas. Por exemplo, quando ele usa uma das toalhas decorativas do banheiro para tirar o excesso de creme de barbear do rosto (todo marido sabe que isso é contra as regras) ou quando ele se esquece de fazer aquelas coisas que são realmente importantes para você.

O marido fica irritado também, mas, em se tratando de sexo, o homem tem muito mais facilidade para superar qualquer coisa que o deixe preocupado. Raramente um homem deixa que sua preocupação se torne um obstáculo ao sexo! "Você deu minha camisa da época da escola para a caridade?

Sem problema! Ela não me servia mais. Eu a usei quando vencemos o Westside High e o campeonato estadual!" Enquanto ele ainda está ensaiando um ataque, ela sai do banheiro com uma *lingerie* que ele comprou para ela no Dia dos Namorados. Ele sente falta da camisa, mas, certamente, não perderá essa oportunidade de fazer sexo.

Quando permitimos que a raiva inflame e cresça, damos lugar ao diabo em nosso relacionamento (ver Efésios 4:27). Você já imaginou quanta energia é necessária para ficar com raiva? Você precisa reviver constantemente o ato em sua mente e instigar emoção suficiente para ficar com raiva desse ato. Seja uma questão trivial ou uma transgressão maior que prejudique o relacionamento, em algum momento você precisa esquecê-la para poder seguir em frente. E, ao se esquecer dela, você encontrará seu caminho de volta à harmonia dentro de si mesmo e, portanto, dentro de seu casamento.

Na Bíblia, Paulo adverte-nos a pôr de lado nossa natureza carnal. Quando a maioria dos cristãos ouve a palavra *carnal*, eles imediatamente pensam em sexo, mas nossa carnalidade inclui muitas outras coisas. Como a raiva. A palavra que Paulo usa para raiva significa gritar muito alto (ver Colossenses 3:8). Às vezes, ficamos realmente com raiva quando temos discussões, mas temos a capacidade de controlar nós mesmos e nossas respostas.

Lembro-me de uma ocasião em particular em que Lisa e eu estávamos tendo uma discussão muito feia. Eu estava levantando um pouco a voz quando o telefone tocou. No mesmo instante, deixei de ser uma pessoa com raiva para ser um pastor cuidadoso e compassivo. "Alô? Ah, tudo ótimo por aqui. Como você está? Muito obrigado por telefonar. Ah, sério? Ah, isso é maravilhoso! Parabéns! Quando? Estaremos orando por você. Muito obrigado. Até logo." E, então, voltei para a discussão. Não tive problema algum em ser atencioso e educado com alguém conhecido ao telefone. Eu deveria ter feito um esforço ainda maior para ser educado com minha esposa, mas não fiz. Estraguei tudo.

Outra coisa que Paulo menciona nessa passagem da Bíblia são "estas coisas". Você sabe o que as palavras *estas coisas* significam na língua grega original? Significam deixar seu cônjuge à beira de um ataque. Quando você é casado há algum tempo, sabe que aquele pequeno gesto, aquela palavrinha, aquele olharzinho deixarão seu cônjuge por um fio. Quando descemos e nos sujamos em uma discussão, e percebemos que grande parte da culpa é nossa, o que fazemos? Nós nos aproximamos e tiramos o outro do sério. Estejamos preparados para a briga!

Lisa e eu temos uma lista de regras básicas para os casais sobre como lidar com conflitos, e iremos discuti-las em outro capítulo. Mas uma dessas regras é: *Não queira ser o marcador de pontos no casamento*. Essa pessoa fica de olho em quem está ganhando e quem está perdendo. E normalmente ela está decidida a não perder. Nota rápida: se você estiver bancando o marcador no casamento, os dois perdem. Não, não, não faça isso.

Outra regra é: *Não banque o historiador*. Você sabe quem é o historiador, não sabe? Ele vai ao fichário conjugal e traz discussões e conflitos que aconteceram quando vocês ainda estavam namorando. Não faça isso.

Certa vez, Lisa e eu estávamos no meio de um conflito, e devo admitir que meu egoísmo levou a melhor. Eu estava tão concentrado em ganhar a discussão que trouxe à tona algumas questões de nossa época de namoro no Ensino Médio. Sim, Ensino Médio!

As mulheres têm uma memória melhor que a dos homens e podem recuperar todos os detalhes de brigas passadas com uma precisão surpreendente. Deixe que essas questões que foram tratadas e perdoadas continuem a fazer parte da história. Não ressuscite algo que deveria ficar enterrado.

O amor cristão maduro e o perdão constrangem-nos a continuar no presente e lidar de maneira delicada com o problema em vista.

Se há algo do passado que não foi devidamente tratado e perdoado, então o discuta em um momento de paz e resolva-o. Não o traga à tona no calor de uma discussão nem confunda o assunto.

"Eu pareço gordo(a)?"

Isso é, certamente, coisa de mulher, porque um homem pode se achar um perfeito garanhão, mesmo quando está com um barrigão. Claro, você deve ter a melhor aparência possível e procurar ser saudável. Mas, se você não conseguir mais entrar no vestido de noiva, não deve pensar que não está mais atraente aos olhos de seu marido.

Sim, os homens são visuais, e é isso que chama nossa atenção em primeiro lugar. Mas o importante é isto: o homem percebe confiança em uma mulher atraente, por isso, se você se sente mal e insegura com relação ao seu corpo, o que ele deveria pensar? Se você não gosta de sua aparência, esforce-se para mudar isso. Mas, ao fazer as mudanças, decida se sentir bem consigo mesma. Olhe no espelho todos os dias e diga para si mesma que você tem o selo de Deus, o melhor *designer* de toda a criação. Diga coisas boas para si mesma: que você é linda, que está ficando melhor a cada dia e que é bonita de dentro para fora, o que realmente conta.

Além disso, perguntar a um homem algo do tipo "eu pareço gorda?" é, na verdade, uma cilada para ele, porque ele é orientado a tarefas. Ele soluciona problemas. Assim, quando uma mulher indica para o marido que ela não está feliz com seu tamanho ou peso, o marido inexperiente começa a dar conselhos sobre como perder peso ou ganhar massa muscular. Ele diz coisas como: "Ah, querida, tudo o que você precisa fazer é perder um pouco de cintura e de coxas." Esse marido desavisado está tentando ajudar a esposa com base em uma pergunta que ela fez, mas, ao fazer isso, ela fica chateada. O fundamental é: seja o melhor que você pode ser com tudo o que Deus lhe deu. Encorajem-se um ao outro nesse sentido.

"Filhos. Filhos. Filhos."

Muitos casais acham que ter filhos não mudará a dinâmica de seu relacionamento. Isso é ilusório e irreal na melhor das hipóteses!

Você sabia que a palavra *filhos* parece ser sinônimo de *vamos manter a intimidade dos pais a distância*? Ter filhos requer algumas mudanças estruturais importantes em sua vida e em seu casamento. Onde a maioria dos casais se perde, no entanto, é quando colocam os filhos, e não o relacionamento, no centro de seu casamento.

Escrevi um livro intitulado *Kid CEO* [Filho no papel de diretor-executivo] porque, em muitas famílias, os filhos estão no controle das coisas. Eles estão no escritório com a melhor vista ditando como os pais devem viver. Eles tomam as decisões e dão tranquilizantes poderosos aos pais em se tratando de relações sexuais.

Nossa cultura mente quando diz que os filhos são o núcleo da célula familiar. Isso é ridículo e não é bíblico. O *casamento* é o núcleo da célula familiar. Há muitos anos, Lisa e eu tomamos a decisão de tornar o cônjuge o centro de nossa família, e vou lhe dizer como isso se deu em nossa casa quando nossos filhos eram mais jovens e nós os estávamos ensinando sobre a importância de nosso casamento.

Normalmente chego em casa por volta das cinco e meia ou das seis horas. Passo pela porta e cumprimento as crianças, dando-lhes beijos e abraços. Então, normalmente vou direto para a cozinha. Na maioria das vezes, Lisa e eu passamos um tempo conversando na cozinha, por isso eu me viro e digo às crianças algo do tipo: "Nos próximos vinte ou trinta minutos, não entrem na cozinha. Sua mãe e eu vamos conversar. Agora, se houver derramamento de sangue, entrem. Do contrário, vão brincar."

Agora que nossos filhos estão mais velhos (dois são adolescentes e dois estão com vinte e poucos anos), eles entendem a prioridade que damos ao casamento. E começamos a ensinar-lhes isso desde os primeiros anos de vida.

Pais, eu os desafio a não deixarem que seus filhos controlem o medidor de romance de seu casamento. Seus filhos precisam saber que o tempo a sós é importante para a mamãe e o papai. Quando você resolver fazer disso uma prioridade em seu casamento, eles aprenderão a aceitá-lo.

Como pais, a melhor coisa que vocês podem fazer por seus filhos é ter um casamento maravilhoso, porque durante 24 horas, todos os dias, seus filhos estão observando vocês. De que outra maneira eles vão aprender coisas sobre comunicação nos relacionamentos? De que outra maneira eles vão aprender coisas sobre os níveis adequados de intimidade nos relacionamentos? De que outro modo eles vão aprender coisas sobre perdão? De que outro modo eles vão aprender coisas sobre o amor? Sobre as coisas espirituais?

Fazer amor durante os sete dias da *Sexperiência* ajudará os pais a reorganizarem sua agenda com a agenda de Deus. O desafio ajudará os casais a perceberem que, na ordem da família, Deus vem em primeiro lugar. Logo depois vem o casamento. Em seguida, vêm os filhos. Ter filhos requer que você tenha um pouco mais de planejamento para começar o desafio.

Meu marido e eu conseguimos cumprir cinco dias do desafio. É difícil arrumar tempo para esse tipo de coisa com três filhos em casa, de onze, nove e sete anos de idade. Eu diria que foi um grande feito, e fomos maravilhosos um com o outro.

Talvez não pareça muito romântico, mas estabelecer um tempo para a intimidade irá ajudá-lo a completar a *Sexperiência*, mas também irá ajudá-lo a estabelecer o padrão normal de intimidade de que seu casamento precisa. Se você permite que seus filhos durmam em sua cama, o desafio será um bom momento para começar a ensinar-lhes que a cama da mamãe e do papai é só para os dois. Seu quarto deve ser um santuário para o romance e o descanso. Seus filhos têm a cama deles e devem dormir nela. Além disso, seus filhos devem respeitar uma porta fechada. Ensine-os a bater e respeitar a privacidade.

Estipule uma hora para as crianças dormirem para que você possa planejar seu tempo a sós com seu cônjuge. Então, contrate uma babá e fique uma ou duas noite fora a cada seis meses, mesmo que seja em um hotel do outro lado da cidade. Afaste-se para ter romance, intimidade e sexo. Vale a pena ter essas oportunidades, e você colherá grandes benefícios em seu casamento. Quando você estiver fora, as crianças não serão uma *sexculpa* para impedir a intimidade.

"Eu só não estou com vontade."

Se um dos cônjuges não está com vontade, algo está errado. A primeira coisa deve ser descartar qualquer causa fisiológica, mental ou espiritual — remédios que podem afetar a libido, depressão ou falta de perdão persistente. Essas questões devem ser tratadas com compaixão e cuidado. Muitos fatores podem afetar a libido no corpo humano. Por exemplo, um homem, relutante em admitir que tem problemas de disfunção erétil, pode simplesmente dizer à esposa: "Eu só não estou com vontade."

Contudo, ao lidar com os problemas de desejo sexual do dia a dia, a realidade é que são raras as vezes em que as duas partes estão igualmente "no clima". Normalmente, um está mais excitado que o outro. Esse é um problema básico no casamento. Muita coisa está na balança nesse sentido. É perfeitamente aceitável dizer não, mas isso deveria ser a exceção, não a regra. É a regra das 24 horas.

Se "não" normalmente for a resposta às investidas de um cônjuge, isso causará sérios danos à confiança, à segurança e ao ego desse cônjuge. Eu realmente acredito que Deus nos pedirá para prestar contas com relação ao modo como satisfazemos nosso cônjuge sexualmente.

Ao dizer "sim", você estava se comprometendo a ter relações sexuais somente com seu cônjuge pelo resto da vida. Se você está lendo este livro e seu cônjuge está deitado ao seu lado, então você está olhando para sua melhor e única opção sexual! Que responsabilidade é termos de satisfazer apaixonadamente os desejos sexuais de nosso cônjuge!

É essencial chegarmos à raiz de qualquer problema do tipo "não estou com vontade". Às vezes, ele acontece porque andamos na ponta dos pés em volta dos limites que Deus estabeleceu para o casamento. Aqui está a confissão de um marido:

> *Eu só quero esclarecer as coisas, porque parece que sou o único marido a ter culpa por não querer sexo com tanta frequência. Parece que o marido sempre leva a culpa por ter casos extraconjugais, e as mulheres devem ser culpadas aqui por não satisfazerem o marido o suficiente.*
>
> *Eu sou o contrário. Não houve nenhum caso extraconjugal em nosso casamento, graças a Deus, mas não pareço sentir o prazer de ser íntimo com minha esposa como eu deveria. Eu acho que aquilo que o Ed falou sobre todas as maneiras pelas quais a cultura retrata o sexo pode ser parte de meu problema. Como ele disse, o que a cultura diz é uma ilusão. Não é realidade. Nenhuma mulher pode satisfazer todas as imagens e fanta-*

sias que vemos na nossa sociedade. É um problema em minha mente, e, como disse o Ed, os problemas fora da cama afetam os problemas dentro do quarto...

Por favor, ore para que tudo isso seja arrancado de minha mente de modo que eu possa dar à minha esposa os sete dias que ela merece e esperar ansioso por isso como a maioria dos maridos espera.

Lá se foram as *sexculpas*!

Não há como voltar atrás. Temos a responsabilidade de satisfazer nosso cônjuge sexualmente. A Bíblia diz que devemos mantê-lo tão satisfeito, na verdade, de modo que essa satisfação tire o brilho, a ostentação e grande parte do poder de sedução da cobiça. Lisa e eu temos aplicado esse mandamento bíblico em nosso casamento, e temos tido grandes resultados.

A Bíblia diz que a matemática do casamento é 1 + 1 = 1. Devemos olhar para essa unidade. Devemos ter uma fé comum em Jesus Cristo, ter comunhão juntos e, consequentemente, devemos expressar o ato sexual no casamento.

O sexo é como uma Ferrari. Se alguém lhe der uma Ferrari, você não irá jogá-la fora. Você não irá colocá-la para subir uma colina íngreme. Você cuidará dela. Você irá lavá-la e encerá-la. Você colocará o melhor combustível nela. Você irá dirigi-la na melhor rodovia, se puder. Você irá dirigi-la na via expressa. É para isso que serve uma Ferrari.

Tantos, no entanto, têm essa dádiva do sexo, essa Ferrari, e não têm cuidado com ela. Não lhe dão a devida manutenção. Eles a jogam fora, maltratam-na e a transformam em algo quase sem valor.

Uma Ferrari é uma Ferrari, mesmo quando é mal usada ou mal cuidada. Uma vez que você começar a ter o devido cuidado e fazer a manutenção de acordo com o manual do proprietário, ela voltará a ter o melhor desempenho para o qual foi projetada.

Você se surpreenderá com o que acontecerá com essa Ferrari (normalmente conhecida como sexo no casamento) quando fizer a *Sexperiência*. Sua vida sexual intensificada com seu cônjuge fará com que você busque a Deus de modo mais profundo, mais intenso e até mais apaixonado. A relação sexual entre marido e esposa reflete a natureza e o caráter de Deus. Os aspectos femininos se juntam com os aspectos masculinos de Deus. A relação sexual é algo tão bonito, e, quando praticada por marido e mulher, pode ser algo tão maravilhoso que as palavras não podem descrever a experiência.

Não é fácil na cultura de hoje, no entanto, ter relações sexuais frequentes, porque todos correm muito pela Avenida das Atividades. Temos de diminuir o ritmo e ter a intenção de fazer amor e ter intimidade no casamento. Temos de pôr o sexo na agenda e fazê-lo acontecer. Chega de *sexculpas*!

No casamento, uma vez que satisfizermos um ao outro sexualmente, isso nos deixará livres para ouvir a voz de Deus de modo mais profundo. A abstinência no casamento pode desviar sua atenção da voz de Deus. Deixe de lado as *sexculpas* por amor ao seu casamento e por amor ao seu relacionamento com Deus. Os benefícios físicos e espirituais são profundos.

Passos práticos

1. Faça uma lista das *sexculpas* que impedem a intimidade em seu casamento. Discuta seus sentimentos com relação a elas e assuma o firme compromisso de que nenhuma delas será motivo para não concluir a *Sexperiência*.

2. Faça planos e preparativos para vencer suas *sexculpas* durante a *Sexperiência*. Escolha uma semana em que você terá menos chances de estar sobrecarregado de trabalho. Veja se as crianças têm roupa limpa o suficiente para passar a semana. Prepare as refeições e congele-as para a semana. Use seu horário de almoço para tirar uma soneca no trabalho, para que você não esteja tão cansado quando chegar em casa. Estabeleça limites para seus filhos para que eles não sejam empecilhos ao seu tempo particular com seu cônjuge. Faça tudo o que puder para demonstrar ao seu cônjuge que a *Sexperiência* será uma prioridade e um esforço sério para manter ou restabelecer a intimidade em seu casamento.

3. Se as muitas *sexculpas* impedem o bom andamento da sua intimidade conjugal, adquira o hábito de observar os problemas reais que estão por trás delas e lide com isso. Pergunte para si mesmo: Estou dando uma *sexculpa*? O que realmente está acontecendo comigo? Com nós dois? Por que estou procurando um motivo para não ter relação sexual?

Antes de casar

O conflito em qualquer relacionamento é inevitável. Basicamente, todo conflito pode ser resumido em três letras. Acho que quase todos os conflitos giram em torno dos problemas da TPM. Agora, antes que as mulheres rasguem este livro, deixe-me explicar.

T = Transa. O que acontece quando um dos cônjuges está com vontade e o outro não?

P = Poder. Quem dará a última cartada? Quem vai ceder a quem?

M = Monetários. Um de vocês ama gastar e o outro ama economizar? Isso pode causar conflito.

Como um casal que está fazendo planos de se casar, vocês precisam conversar sobre os problemas da TPM e discutir como pretendem lidar com ela. Provérbios 15:22 diz: "Os planos fracassam por falta de conselho, mas são bem-sucedidos quando há muitos conselheiros." Muitos casais de noivos pensam que não precisam de aconselhamento conjugal. Se esta é sua primeira vez no altar ou se você já teve vários casamentos, não deixe que o ego, o orgulho, a arrogância ou a ignorância o impeçam de receber conselhos sábios de que você precisa para estabelecer um casamento sólido.

Talvez você pense: Ah, podemos resolver as coisas sozinhos. Nós dois somos pessoas inteligentes. Administramos com sucesso conflitos no trabalho o tempo todo.

Não se trata do que está em sua cabeça.

O escritor e psicólogo M. Scott Peck observou em seu livro *The Road Less Traveled* [A estrada menos percorrida] que a sensação de se apaixonar é o modo que Deus usa para nos "levar" ao casamento. Essa é uma maneira interessante de olhar para o casamento. Mas, sem dúvida, é verdade que quando estamos apaixonados, nem sempre entramos no casamento de olhos bem abertos e o cérebro ativado.

Antes de casar, discuta seus problemas e expectativas com relação ao sexo, poder e dinheiro, para evitar problemas ao longo da estrada.

Jugo não é jogo

A pessoa com quem você está namorando parece ter algum interesse em lhe agradar? Você precisa prestar atenção nisso, porque esse mesmo espírito será transferido para o casamento com essa pessoa. Ela parece preocupada com o que é importante para você? Os restaurantes de que você gosta? As atividades sociais de que você gosta?

Um componente essencial do casamento é o desejo e a vontade de servir e sacrificar. Alguém que não pareça querer agradar-lhe no namoro não se preocupará em satisfazer suas necessidades no casamento.

Jugo não é jogo. Preste atenção nas características das pessoas com quem você namora. Se é só você que está fazendo todas as concessões, se é só você que está se sacrificando e servindo para construir ou manter um relacionamento, é hora de pular fora e continuar a procura.

As mulheres, em especial, normalmente fantasiam que podem mudar um homem ou que, uma vez feitos os votos, ele, como em um passe de mágica, se tornará o amoroso e carinhoso provedor, e chefe da casa que ela sempre quis. Isso nem sempre acontece! As pessoas são o que são. Se ela for uma namorada egocêntrica, será uma esposa egocêntrica. Se ele for um namorado frio e insensível, será um marido frio e insensível.

Tantas pessoas entram em casamentos que já estão condenados desde o início porque têm medo de que ninguém mais aparecerá ou porque se convencem de que, uma vez que ninguém é perfeito, elas aprenderão a conviver com o egoísmo e a falta de consideração da outra pessoa. Isso nunca fez parte do plano de Deus para o casamento. É verdade que ninguém é perfeito, mas isso nunca deveria ser uma desculpa para aceitar menos do que o melhor de Deus para você em um cônjuge.

3

A matemática do casamento

Lisa e eu estamos casados há quase trinta anos e temos quatro filhos. Lembro-me em particular de umas férias de família em que pegamos dois quartos de hotel, um para as crianças e outro para nós. Uma de nossas filhas gêmeas disse:

— Ei, papai e mamãe, eu sei por que vocês têm seu próprio quarto.

Eu perguntei:

— Ah, sério? Por que, Landra?

— Para vocês poderem fazer aquilo.

— É isso mesmo — eu disse. — É por isso que nós temos nosso próprio quarto: para podermos fazer aquilo.

É bom que nossos filhos saibam que "fazemos aquilo" e temos intimidade como casal. Eles sabem que a intimidade tem valor suficiente para que arrumemos tempo e espaço para ela. Impedimos a entrada de outros, e isso envia uma mensagem importante para nossos filhos de que a intimidade é algo só para nós, como marido e mulher. E nossos filhos entendem isso porque, como mencionei anteriormente, estávamos ensinando isso a eles havia anos.

Ao refletir sobre isso, talvez você pense que o vínculo humano mais forte é o que há entre pai/mãe e filho, que é uma relação de sangue. Mas não é assim que acontece. Por um minuto, esqueça o fato de que é um pastor que está escrevendo este livro. Falando de maneira prática, observemos a ideia de que o casamento é o relacionamento mais importante. Quando seus filhos ficarem mais velhos, o que você quer que aconteça? Você quer que eles se mudem! E quando eles se mudarem, quem restará na casa? Você e seu cônjuge. Então, faz sentido investir em seu casamento, fortalecer seu casamento agora.

Como seguidor de Cristo, dou muito mais prioridade à Palavra de Deus do que à sabedoria convencional. Então, quero discutir essa ideia a partir do que Deus diz. Deus diz em sua Palavra que algo poderoso e magnético acontece quando um homem ama uma mulher e se une a ela em um relacionamento ordenado por Deus. A Bíblia nos diz que "o homem deixará pai e mãe e se unirá à sua mulher, e eles se tornarão uma só carne" (Gênesis 2:24).

Quando um homem e uma mulher chegam à conclusão de que querem passar a vida juntos, ter filhos e envelhecer um com o outro, eles estão optando por realinhar o laço de sangue íntimo com seus pais como seu principal relacionamento, e se unir em casamento. Nesse momento, Deus nos diz, um relacionamento de uma só carne se desenvolverá. Na língua hebraica, o termo usado para "uma só carne" significa *ser misturado, estar ligado de modo inseparável.* O que antes eram duas partes completamente distintas tornou-se um todo unificado. Você não pode separar as partes.

Você já reparou que as pessoas casadas há muito tempo normalmente se parecem? Isso é unidade. Quando duas pessoas com DNA totalmente diferente passam tempo suficiente juntas e dividem bastantes experiências, sua unidade transcende até sua aparência física.

A unidade no casamento acontece quando dois se tornam um. Esta é a matemática do casamento: 1 + 1 = 1. Após a bela cerimônia de casamento e os solenes votos conjugais, duas pessoas — caídas e falíveis, egocêntricas e pecaminosas — começam uma jornada para toda a vida em que se tornam uma só. A palavra-chave aqui é *tornar*.

O encargo e o desafio da Bíblia lançados ao marido e à esposa é: "Eles *se tornarão* uma só carne", e não: "Os dois *são* um só." Quando olho para minha esposa, Lisa, vejo refletido nela o Ed no que ele tem de melhor e no que tem de pior. E ela vê em mim a Lisa no que ela tem de melhor e no que tem de pior. É assim que funciona o casamento. E, quanto mais tempo vocês estão juntos, mais andam em sintonia um com o outro, mais veem o que têm de melhor e o que têm de pior. Contudo, isso é um processo. A unidade no casamento é um processo que requer a entrega sacrificial e o serviço amoroso em submissão mútua.

Existem muitas dinâmicas que contribuem para o processo de duas pessoas se tornarem uma, e a intimidade sexual é uma das mais importantes, como você verá durante a *Sexperiência*. Muitos casais ocupam a mesma casa há anos sem crescerem em direção à verdadeira unidade. Seus relacionamentos são fragmentados, e a intimidade sexual não existe. Eles talvez estejam até dormindo em quartos separados. Infelizmente, eles não entendem a satisfação que é fruto de crescerem como uma só carne.

Então, como nos tornamos um? Como um homem e uma mulher andam em unidade? Efésios 5:22 diz que a mulher deve se sujeitar ao marido "como ao Senhor". E Efésios 5:25 diz que o marido deve amar a mulher "assim como Cristo amou a igreja". Então, temos de colocar nosso "como" em ação! Fazer isso — ou seja, como Cristo — dá-nos a capacidade e a melhor qualidade para termos um casamento maravilhoso. Quando adotamos o modelo de casamento da Bíblia, tudo é *como Cristo*.

O número um é um número inteiro. A antiga banda Three Dog Night cantava: "Um é o número mais solitário que você terá." Mas, no casamento, um é o número "mais único" que você terá. Um no casamento não é solidão; é plenitude e santidade. Quando estamos juntos no casamento, temos essa plenitude porque Deus gosta de plenitude e santidade. Então, quando desistimos do casamento, seja física ou emocionalmente, nos tornamos uma fração do que Deus quer que sejamos. E há muitas pessoas que estão vivendo em frações, em vez de viverem em plenitude.

Quando falo em desistir do casamento, não estou me referindo apenas ao divórcio. Quando você tem um caso extraconjugal, você desiste de seu casamento e torna-se uma fração do que Deus quer que você seja. Quando você desenvolve uma ligação emocional íntima com outra pessoa que não seja seu cônjuge, você desiste de seu casamento e reduz-se a uma fração do que Deus quer que você seja. Quando está faltando intimidade sexual em seu casamento, você, seu cônjuge e seu casamento se tornam uma fração do que Deus quer.

Sexo é o desejo dado por Deus que traz o fogo conjugal! O sexo é a expressão exclusiva do vínculo feito em aliança entre marido e esposa. Quando você se casar, sua vida sexual com seu cônjuge irá levá-lo a buscar a Deus de maneira mais profunda, mais intensa e até mais apaixonada.

O sexo é realmente tão importante assim? Quero dizer, além do prazer físico e da liberdade que ele traz?

Sim, ele realmente é. A intimidade sexual no casamento não é exagero. É real e essencial para construir a unidade. Muitos casais precisam de ajuda para chegar a esse nível em sua intimidade, e a *Sexperiência* irá levá-lo ao hábito de ter uma intimidade regular, consistente e intencional, que é um elemento fundamental da unidade. O sexo é uma âncora no casamento, porque há apenas uma pessoa com quem você se envolve nesta expressão especial da intimidade. Ele é a supercola que santifica o casamento. Ele separa você e seu cônjuge de todo o resto. Você pode dividir o espaço com uma pessoa com quem não é casado. Você pode repartir refeições com uma pessoa com quem não é casado. Você pode compartilhar as finanças com uma pessoa com quem não é casado. Você pode sentir amor por uma pessoa com quem não é casado. Você pode compartilhar seus sentimentos e segredos mais íntimos com uma pessoa com quem não é casado. Você pode até ser pai com uma pessoa com quem não é casado; os casais divorciados fazem isso o tempo todo. Mas o ato da relação sexual — na estrutura de Deus — é reservado exclusivamente ao marido e à esposa. A intimidade sexual é o agente de ligação que Deus quer que apenas os casados conheçam, porque é algo que vai além de qualquer outro vínculo que tenhamos.

Os benefícios

Há algum tempo foi realizada uma pesquisa na internet entre 60 mil pais. Dos homens entrevistados, 79% disseram que queriam mais sexo. Então, 60% desses homens disseram que viam pornografia com frequência. Além disso, 40% desses pais disseram que suas investidas sexuais são rejeitadas pelo menos uma vez por semana.* Não é surpreendente?

De acordo com os resultados da pesquisa, por uma margem ampla, os pais (e provavelmente as mães também) não sentem como se estivessem tendo um dos principais benefícios do casamento tanto quanto deveriam ou gostariam. Uma vida sexual ativa e saudável no contexto do casamento traz muitos benefícios para os casais.

---

* http://www.inquisitr.com/4103/poll-reveals-32-of-dads-had-affair-since-having-children-jessica-alba-tops-dads-sexual-fantasies/

Alguns cônjuges dizem que o sexo não é, de fato, importante para eles. Em alguns casos, isso é verdade. No entanto, a maioria dos cônjuges dirá categoricamente que o sexo é importante para seu casamento e que eles não estão tendo relações sexuais suficientes.

O sexo com frequência aprofundará seu casamento, porque é um reflexo exterior de uma conexão interior. Quanto mais relações sexuais você tem, mais você está dizendo em termos emocionais, físicos e espirituais: "Nós somos um. Nós estamos conectados." Ao se envolver na *Sexperiência*, você estará em contato e se conectará com sete benefícios da intimidade sexual no casamento (vamos esmiuçar mais esses benefícios ao longo das páginas deste livro, mas aqui está apenas uma rápida olhada).

A intimidade sexual no casamento cumpre o propósito de Deus.

Quando pessoas casadas fazem amor, elas estão vivendo o cumprimento do plano de Deus para o casamento. Uma vida sexual frequente e saudável ajuda você a se tornar um com seu cônjuge. Deus criou o sexo como um vínculo para a recreação e para a procriação no casamento. Ele quer que os casados desfrutem sexualmente um do outro e também tenham e criem filhos com amor.

A intimidade sexual no casamento revela nosso verdadeiro eu.

A natureza da intimidade sexual é reveladora. O sexo requer um nível de intimidade, unidade e abertura que somente os casados devem ter. A Bíblia nos diz que, quando fazemos sexo com uma pessoa, nos tornamos um só com ela (ver 1Coríntios 6:16). Quando a intimidade sexual ocorre, estamos emocional, espiritual e fisicamente nus. Nudez pressupõe intimidade.

Em sua semana da *Sexperiência*, você terá novas oportunidades para estar aberto e vulnerável com seu cônjuge. E você conhecerá a força que se desenvolve com essas novas oportunidades.

A intimidade sexual no casamento frustra a tentação sexual.
Toda vez que você pensa em tentação, é preciso pensar em seu propósito. Tentação tem a ver com *nos tirar* de nosso propósito. Uma intimidade sexual maior com nosso cônjuge nos torna responsáveis um pelo outro como marido e mulher. Ela também satisfaz uma necessidade física muito real, o que nos torna menos vulneráveis à tentação fora do leito matrimonial. Em termos simples, se você está tendo intimidade sexual em casa, terá menos chances de ser tentado a procurá-la em outro lugar!

A intimidade sexual no casamento estabelece um legado.
O maior legado que você pode deixar, a maior influência que você pode ter sobre seus filhos, é fazer amor com frequência. Quando você tem uma vida sexual frequente e saudável com seu cônjuge, você pode até afetar as pessoas com quem trabalha, se quiser que elas olhem para você e digam: "Tem algo diferente em sua vida e em seu casamento." E isso abre oportunidades para compartilhar com outras pessoas sobre o propósito e o plano de Deus para nossa vida.

No casamento, em comparação com o que é a intimidade sexual, o mesmo acontece com o perdão, as habilidades de comunicação e tantas outras áreas de importância. Nossos filhos veem tudo isso exemplificado no modo como tratamos um ao outro e no modo como nos relacionamos um com o outro. Agora, eles não veem a santidade de nosso quarto, mas sabem que temos aquela intimidade porque ela está refletida em todas as diversas áreas fora do quarto também.

Estamos deixando um legado porque, quando escolherem um cônjuge, nossos filhos estarão pensando muito neste relacionamento e no que ele significa e representa. Depois de se casarem, eles terão um referencial pelo qual poderão julgar o romance, a criatividade, o amor e a liderança espiritual que provavelmente estavam procurando. Deixe um legado para seus filhos, para os futuros cônjuges deles, para seus futuros netos. Permita que eles vejam como você fez de seu cônjuge e de seu casamento uma prioridade.

A intimidade sexual no casamento nos ajuda a apresentar o que temos de melhor.

Talvez você já tenha visto algum comercial de remédio para disfunção erétil na qual o homem vai trabalhar e as pessoas podem dizer que há algo diferente nele, mas não conseguem saber o que é. A mensagem é a de que o homem está se realizando por meio de uma vida sexual frequente, e isso é visível em todas as outras partes de sua vida também. Esse é o poder da intimidade sexual.

A soma da atividade sexual de um casal é, certamente, um barômetro de seu casamento. Para ter relações sexuais frequentes, ambos os cônjuges precisam apresentar o que têm de melhor: bondade, cortesia, interesse pelas necessidades do outro, altruísmo. Quando essas qualidades são expressas, isso nos motiva a ser íntimos, mas também cria benefícios em todas as outras áreas do relacionamento.

Quando você faz amor regularmente, isso o força a aceitar questões como perdão, que tem um grande efeito em todos os outros aspectos de seu relacionamento. Todo casamento lida com as mesmas coisas, mas os casamentos de sucesso discutem essas barreiras e lidam com elas.

A intimidade sexual no casamento nos ajuda a nos concentrar em nosso cônjuge.

O casamento tem tudo a ver com altruísmo. Tem a ver com a outra pessoa. Toda vez que Lisa e eu temos problemas em nosso casamento — e, acredite, nós temos —, assumo a posição de que eu sou o culpado. Muitas vezes, sou tentado a dizer: "Mas Lisa não está fazendo isso, e ela está fazendo aquilo." Pode ser fácil apontar o dedo e mostrar de quem é a culpa. Mas a realidade é que Deus me chama a trabalhar apenas em meus problemas e em como posso resolver qualquer problema no casamento. Rapaz, mesmo que você esteja apenas 0,0001% errado, cabe a você assumir a frente e acertar as coisas. Podemos apontar o dedo o dia todo, mas o importante é que eu tenho de mudar o que posso diante de Deus e deixar o restante para ele.

É fácil olhar para os defeitos da outra pessoa, ver o que está errado com ela e não prestar atenção em si mesmo. Mas, no casamento, temos de colocar as necessidades de nosso cônjuge acima das nossas. Não podemos deixar que o antigo sistema de pontos assuma o controle de nossa mente nem começar a pensar: Bem, ele não pensou em mim neste lugar nem aqui nesta área.

Os casais dizem que o casamento deve ser 50/50. Mas, segundo Deus, ele é 100/100. O sistema de pontos faz-nos dizer coisas do tipo: "Bem, se ele só deu 40%, então eu só vou dar 40%." Mas não foi isso que Cristo fez por nós. Ele deu 100% de si mesmo, e o casamento é um reflexo de Cristo e da igreja. Ele se entregou pela igreja, e nós devemos expressar 100% esse tipo de sacrifício, dando esse tipo de amor um ao outro. Casamento tem tudo a ver com satisfazer as necessidades — e servir às necessidades — do outro.

A intimidade sexual no casamento cultiva a criatividade.

Você talvez já tenha pensado em como você e seu cônjuge podem manter sua vida sexual excitante durante sete dias seguidos, e até por mais tempo. A *Sexperiência* e a vida sexual constante não têm a ver com concluir uma tarefa. Têm a ver com um significado mais profundo: amar um ao outro de forma mais significativa e mais criativa. A *Sexperiência* nos ajudou, Lisa e eu, a pensar de modo mais criativo no romance e em como apimentar nossa vida amorosa.

A criatividade não precisa custar muito nem ser muito detalhada ou elaborada. Mas é preciso compromisso e disposição para descobrir novas maneiras de manter a intimidade viva em seu casamento.

Quando nossos filhos eram mais jovens, depois que os colocávamos na cama, de vez em quando fazíamos um piquenique à luz de velas em nosso quarto. Essa era nossa parte romântica e criativa durante aquela época.

Criatividade é simplesmente encontrar pequenas maneiras de ajustar sua rotina que irão ajudar a manter a energia e a vitalidade no casamento. Durante esta *Sexperiência*, você começará a pensar em novas maneiras de fazer o que já deseja fazer!

Prática, paciência e persistência

Eu amo pescar com mosca, e qualquer pescador que se preze faz as próprias moscas. Posso ver algumas semelhanças entre as moscas para pesca e a unidade que os casais experimentam no casamento. (É coisa de homem, senhoras.) Para ser bom nesse tipo de pesca, é preciso prática, paciência e persistência. Isso, certamente, se aplica ao casamento. Unidade requer prática, paciência e persistência.

A unidade vem por meio da prática. Todos os casais cometem erros ao longo da jornada rumo à unidade. É por isso que a Bíblia nos diz que nós "nos tornamos" uma só carne; ela não diz que somos imediatamente uma só carne uma vez que estamos casados.

Dessa forma, um dos cônjuges comete erros, busca perdão e tenta se sair melhor da próxima vez. Isso é *prática*. Então, essa mesma pessoa tenta se sair melhor, mas estraga tudo novamente. O outro concede o perdão (mais uma vez). Isso é *paciência*. Há tentativas e erros no casamento, por isso você precisa de *persistência* para continuar no processo de se tornar uma só carne.

Sejamos realistas: alguns cônjuges são alunos excelentes quando se trata de fazer as coisas necessárias para se tornar um. Outros retardam o desenvolvimento. Alguns casais crescem rumo à unidade com requinte, como cisnes no lago. Outros crescem por meio do método do "elefante em loja de porcelana": depois de examinarem os danos causados à sua volta, eles percebem que estão nisso juntos e crescem mais em direção à unidade.

A primeira vez que pesquei com mosca, não foi muito bom. Mas, depois de certo esforço repetido, fiquei muito melhor nisso. No início do casamento, nossos esforços para a unidade podem ser desajeitados. Pode até haver momentos em que as coisas não parecem muito esperançosas para o casamento. Mas não se desespere. Fazer aquele esforço repetido irá, certamente, ajudar as coisas a melhorem!

Depois que passei a dominar a técnica de amarrar um tipo de mosca, cheguei à conclusão de que era hora de tentar outro tipo. Eu me saí melhor do que da primeira vez que amarrei uma, mas, mesmo assim, precisava de prática, paciência e persistência para aprender cada novo modelo de mosca.

Acontece o mesmo quando crescemos em unidade. Desanimamos em uma área da união conjugal, mas, por outro lado, há outras para serem cultivadas e aprendidas. É um processo. Talvez a unidade financeira em seu casamento seja uma rocha sólida. Em seguida, você melhora a cada ano na área da submissão mútua. Vocês se tornam um quando se trata de entender os papéis de marido e de mulher. Em seguida, vocês se tornam estáveis e sólidos na unidade com relação à educação dos filhos.

Conheço casais que funcionam em todas as outras áreas da união conjugal, exceto no componente sexual. Acho que é por isso que tantos casais ficaram agradavelmente surpresos com os resultados que obtiveram ao participarem da *Sexperiência*, ainda que a fórmula por trás disso seja muito simples: mais sexo, mais intimidade; menos sexo, menos intimidade.

Muitos casais estão vivendo com menos intimidade. Eles dizem coisas deste tipo um para o outro: "Sexo não é tudo. Temos todas essas outras coisas a nosso favor." Fico sempre surpreso ao ouvir falar de casais que passam meses e até anos sem contato íntimo.

É ótimo quando as outras áreas do casamento se juntam, porque elas são importantes. Mas os casais precisam se concentrar na intimidade sexual tanto quanto em outros aspectos. Ela é o vínculo, assim como a supercola é o vínculo que segura uma mosca artificial para pesca. Veja, você pode montar com destreza uma mosca. Ela pode até ser bonitinha, mas você precisa dar um jeito de amarrar as pontas do fio depois de prendê-la. Você precisa de supercola para segurar tudo. O sexo no casamento mantém o vínculo, como a supercola.

Agora, não sou ingênuo. Percebo que as pessoas se casam por todos os tipos de motivos — segurança financeira, status, solidão, idade. Há um velho ditado: "Quando você se casa por dinheiro, você ganha cada centavo." É bom ter coisas como segurança financeira e companheirismo no casamento, mas esses componentes não são suficientes para estabelecer um vínculo para toda a vida.

O casamento, à maneira de Deus e segundo sua concepção, requer unidade em todas as áreas do relacionamento. Isso inclui o sexo. Se você não se concentra no lado da intimidade sexual, está sendo vítima da ideia de fração, e não de plenitude. Muitos casais passam pela vida unidos em casamentos fracionados, quando o projeto de Deus para o casamento é a plenitude.

Plenitude e santidade no casamento refletem a mensagem do evangelho de Jesus Cristo — sua morte, sepultamento e ressurreição. Em de nosso casamento, as pessoas deveriam ver reconciliação. Elas deveriam ver amor incondicional. Elas deveriam ver altruísmo. Elas também deveriam ver um casal que é íntimo e amoroso. Marido e esposa têm a oportunidade, com a plataforma do casamento, de mostrar o amor de Cristo um ao outro e ao mundo.

Como pastor, o maior sermão que posso pregar é o modo como trato Lisa. Se eu falar com eloquência à igreja, mas falar de maneira ríspida com minha melhor amiga, terei invalidado a Palavra de Deus em minha própria vida. E terei desvalorizado o poder das boas novas de que Cristo viveu, morreu e ressuscitou por causa de meus pecados.

O mesmo se aplica em seu casamento. Você pode não ser um pastor, mas pode falar às pessoas do amor de Deus por meio de seu casamento. Se você lê a Bíblia duas horas por dia, mas está sempre ignorando as necessidades de seu cônjuge, isso não adiantará muito para seu casamento ou seu testemunho cristão. Se você está prejudicando seu cônjuge com as palavras que fala, as palavras que você expressa a Deus não ajudam muito.

Por meio da *Sexperiência*, você começa a pôr em seu casamento o esforço que o torna um testemunho vivo da plenitude e da santidade de Deus. Por meio de sua intimidade física, você descobrirá como seu casamento se torna um lugar de adoração ao Senhor.

Segurança no casamento

Quando nossas gêmeas eram pequenas, eu me lembro de segurar as mãozinhas delas enquanto atravessávamos a rua. Eu segurava a mão de cada uma delas bem firme. Elas sempre tentavam se soltar das minhas mãos, mas eu não deixava. Por mais que tentassem, elas não conseguiam escapar, porque eu segurava firme as mãozinhas delas. Eu não queria que elas corressem em direção aos carros que se aproximavam.

Uma vez que convidamos Cristo a entrar em nossa vida, nosso Pai celestial segura nossas mãos. Ele não se solta de nós. Ele não se separa de nós, e nós não podemos nos separar dele. Ele não dá as costas para nós, aconteça o que acontecer. Não podemos sair de sua família. Uma vez que você está dentro, você está dentro. Os teólogos chamam isso de "perseverança dos santos". Como crente em Cristo, estou seguro em saber que não há nada que eu possa fazer para levar Deus a deixar de me amar.

Devemos ter o mesmo tipo de segurança no casamento. A segurança que Lisa e eu temos em nosso casamento deve ser reflexo da segurança que temos em Cristo. E, quando você tem esse tipo de segurança, venha o que vier, você continuará casado. Quando você está determinado a permanecer com seu cônjuge aconteça o que acontecer, você tem confiança nele e em seu casamento. Você tem confiança em si mesmo no casamento. Você sabe que tem um plano acima e além deste mundo. Não há nada como a segurança no casamento.

A segurança no casamento cria unidade e intimidade, especialmente para a esposa, porque a mulher tem uma grande necessidade de se sentir segura no relacionamento. Marido, sua esposa precisa saber que você não irá abandoná-la depois de alguns anos ou no meio de uma crise de meia-idade. Ela precisa saber que você não ficará folheando uma revista masculina quando a cintura dela ficar mais larga durante a gravidez. Como marido, só você pode dar a ela essa sensação de segurança.

Mas o homem precisa se sentir seguro com relação a certas coisas também. Esposa, seu marido precisa saber que você não irá ridicularizá-lo ou humilhá-lo se ele perder o emprego. Ele precisa saber que você confia que ele seja o chefe da casa. A falta de segurança de um homem no sentido de ser desejado pela esposa, muitas vezes, pode levá-lo a se desviar para a cama errada. Essa é uma resposta masculina frequente à percepção de que ele não é querido em casa. (No entanto, muitos homens também não estão fazendo as coisas que os levam a ser desejados.) Os homens vão aonde são desejados. É claro que não estou dando permissão ao homem neste sentido, nem criando desculpas. Estou simplesmente afirmando o que tantos homens/maridos compartilharam comigo. A segurança no casamento, por parte de ambos os cônjuges, ajuda a construir a unidade. E a unidade cria a intimidade que se expressa por meio de um nível maravilhoso de proximidade física.

A alta taxa de divórcio, mesmo entre cristãos, não nos dá muitos motivos para sentir segurança no casamento. Todos conhecemos casais que se divorciaram, e pensamos: Não, vocês não! Eu achava que o casamento de vocês fosse bem estável!

Todos os anos, pessoas se casam em cerimônias religiosas e cenários requintados e se divorciam antes de acabarem de pagar o casamento. Alguns dos presentes de casamento nem mesmo foram usados antes de o divórcio ser definitivo!

Desenvolver o nível de segurança no casamento que favorece a unidade é intencional e deliberado. Por exemplo, Lisa e eu damos um ao outro dez mandamentos conjugais para orientar nossa conduta dentro do casamento. Esses mandamentos, junto com nossos votos conjugais, nos dão uma sensação de segurança no casamento que ajuda a fortalecer nossa unidade. Deixamos Deus determinar o que é importante para nós e, então, criamos nossos "mandamentos" a partir dali.

*Os dez mandamentos da unidade**

1. Não ter outro relacionamento humano acima de Lisa/Ed.
2. Lembrar-se da noite de namoro e mantê-la como algo sagrado.
3. Honrar Lisa/Ed nos aniversários e dias especiais para que eu possa ter uma vida longa na terra que o Senhor me deu.
4. Não usar em vão a aliança de casamento.
5. Não andar em um carro nem comer em um restaurante sozinho(a) com uma pessoa do sexo oposto.
6. Não viajar sozinho(a).
7. Não se aconselhar com uma pessoa do sexo oposto sozinho(a) a portas fechadas.
8. Não compartilhar detalhes de meu casamento com outras pessoas.
9. Não ver, ler ou me expor a pornografia em programas, livros, sites na internet etc.
10. Lembrar-se das implicações de cometer adultério.

Deus quer que o relacionamento conjugal confirme as declarações do cristianismo a um mundo que nos observa. Ele quer que o casamento seja um exemplo do amor redentor de

* Nota: Lisa e eu fizemos juntos estes mandamentos, uma vez que estão relacionados à nossa vida. Sugerimos que vocês, como casal, usem esses mandamentos e façam os ajustes necessários para sua vida. O mais importante é colocá-los no papel e em prática.

Cristo, vencendo os vícios e os efeitos do pecado. Mas isso pode ser um desafio. Entre o que lemos em revistas e na internet e o que vemos na televisão e nos filmes, muitas pessoas têm uma ideia confusa e distorcida do que é e do que deveria ser o casamento. Filhos adultos de pais divorciados ou solteiros querem se casar e ter uma vida familiar satisfatória e estável, mas não fazem ideia do verdadeiro significado do casamento.

O mundo está ávido por ver casamentos verdadeiros, autênticos e bem definidos. O mundo está ávido por um amor, perdão e altruísmo bem definidos. Onde as pessoas verão essas coisas? Elas verão em nosso casamento, no seu e no de cada casal que coloca Cristo no centro do relacionamento. Mas elas só poderão ver essas coisas em nós se nos comprometermos com o nível de intimidade ao qual a *Sexperiência* tem por objetivo nos levar.

Choque cultural: Aliança versus *contrato*

Se eu quiser ser o tipo des marido que deveria ser diante de Deus e se Lisa quiser ser o tipo de mulher que deveria ser diante de Deus, é preciso haver um tipo de morte em nosso casamento. Não é o tipo de morte do qual os homens fazem piada quando um deles se casa.

Não, é outro tipo de morte. Temos de "morrer para nós mesmos" no casamento. Essa é uma expressão difícil de ser entendida por nossa cultura. Mas, basicamente, temos de enterrar nossa bagagem, nosso egoísmo, nossos problemas, e nos entregar ao poder de ressurreição de Deus, que está sempre ao nosso alcance. Temos de deixar que esse poder flua em nossa vida para que, juntos, possamos ser o tipo de pessoa que Deus deseja e que faz diferença. Tem tudo a ver com estar bem conectado na parceria, mas não do modo como nossa cultura vê a parceria.

Vivemos em uma cultura louca por contratos, não é? Você precisa assinar um contrato para fazer quase tudo. Se quiser um celular, várias companhias ainda querem que você assine um contrato. Se quiser uma televisão por satélite ou a cabo, você assina um contrato. Se quiser alugar um carro, alugar um apartamento ou comprar uma casa, você assina um contrato. Se quiser se casar, você assina um contrato. Mas até que ponto os contratos são bons?

Os contratos são únicos porque, basicamente, dizem: "Se você cumprir os termos do contrato, eu cumprirei os meus. Mas, no momento em que eu perceber que você não está cumprindo os termos, estou fora. Eu já não tenho mais a obrigação de cumprir as cláusulas. Posso rasgar o contrato."

É assim que funcionam os contratos. Se o proprietário violar o contrato de aluguel, não preciso morar em seu imóvel e pagar o aluguel até o fim do contrato.

Esse é o problema com tantos casamentos. Eles não agem assim porque qualquer desculpa para abonar o relacionamento fará isso. Nossa cultura obcecada por contratos é um furacão de declarações, condições, cláusulas secundárias e acordos pré-nupciais. Vemos tudo como um contrato, como se ele fosse nossa garantia de equidade.

O que é um contrato? Deixe-me dar a definição. Existem duas, de acordo com os dicionários:

1. Um acordo inviolável entre duas ou mais pessoas ou partes.
2. Um acordo comercial que visa a fornecer bens ou serviços a um preço fixo.

Quando consideramos o casamento como um contrato, nós o condenamos desde o início. O contrato tem mais a ver com o que não se pode fazer, por isso ele enfatiza os aspectos negativos. Essa visão de "contrato" para o casamento é uma das razões pelas quais é tão simples se divorciar. Podemos simplesmente telefonar para nosso advogado e deixar que ele junte as peças. É o que acontece com um contrato. A *aliança*, por outro lado, que é como Deus intentou o casamento, é completamente diferente.

Quando vamos a um casamento, o que pensamos?

— Fico imaginando quanto isto custou.

— Uau, ela deve ter perdido uns nove quilos para entrar naquele vestido, não é?

— Você já viu a aliança dela? É enorme!

— Ah, menina, eu jamais usaria aquelas cores! São horríveis!

É nisso que pensamos durante a cerimônia. Mas pensemos de modo mais profundo. O casamento não é apenas uma cerimônia seguida de uma grande festa. O casamento é uma cerimônia que simboliza uma aliança. Quando um homem e uma mulher se tornam marido e esposa diante de Deus e de alguns familiares e amigos, eles estão fazendo uma aliança. Trata-se de um laço de sangue de vida e de morte. Alguns de vocês estão pensando: Você quer dizer que fizemos isso quando nos casamos? Eu não imaginei que tudo isso estivesse acontecendo! Eu acho que estava muito nervoso.

Mas foi exatamente isso que você fez. Durante a cerimônia de casamento, você e seu cônjuge, como Lisa e eu, fizeram uma aliança — um laço de sangue de vida e de morte.

Em nosso vernáculo moderno, podemos dizer que uma aliança é um compromisso com esteroides. A palavra *aliança* é usada 286 vezes na Bíblia. Tudo o que você tem a fazer é folhear as Escrituras, e verá essa palavra repetidas vezes. Deus estava sempre fazendo alianças com seu povo. Uma das principais alianças que Deus fez foi com um homem chamado Abrão, também conhecido como Abraão. Certo dia, Deus lhe disse: "Saia da sua terra, do meio dos seus parentes e da casa de seu pai, e vá para a terra que eu lhe mostrarei..." (Gênesis 12:1-3).

Abraão era mais do que rico. Ele era multimilionário! Quando Deus ordenou que ele se mudasse, aquilo foi uma grande mudança. Não imagine uma mãe, um pai, filhos e, talvez, um cachorro e um gato se mudando do sul para o norte. Imagine Bill Gates. Imagine uma das quinhentas maiores empresas do mundo se mudando de um país para outro. Esse homem, que tinha um zilhão de dólares, foi comissionado por Deus para se mudar para um novo pedaço de terra, a melhor parte da propriedade: Canaã.

Então Deus fez a Abraão uma oferta séria que era muito boa para ser recusada. Deus disse: "Farei de você um grande povo, e o abençoarei. Tornarei famoso o seu nome, e você será uma bênção. Abençoarei os que o abençoarem e amaldiçoarei os que o amaldiçoarem; e por meio de você todos os povos da terra serão abençoados."

Contudo, uma vez que todas as promessas de Deus não vieram de imediato, Abraão voltou e fez uma pergunta que, às vezes, todos nós fazemos a Deus. Deus ordenou que ele se mudasse, e ele se mudou. Uma vez a caminho da terra, ele perguntou, em essência: "Ó Soberano Senhor, como posso saber que tomarei posse dela?" (Gênesis 15:8).

Deus lhe respondeu com uma aliança. Ele fez uma aliança com Abraão e disse: "Aos seus descendentes dei esta terra" (Gênesis 15:18). A palavra hebraica original *aliança* vem de uma expressão que significa *cortar*. Assim, Abraão trouxe uma novilha, uma cabra e um carneiro (isto vai ser um pouco nojento) e os dividiu em dois. Ele colocou as metades cheias de sangue de frente umas para as outras. Então, Deus passou pelos pedaços dos animais, tomando assim a iniciativa da aliança.

Deus disse: "Eu vou derramar meu favor sobrenatural sobre sua vida. Vou abençoá-lo. Eu o amo incondicionalmente. Vou fazer com que seu nome seja conhecido, e você fará uma grande diferença em todo o mundo. Vou cumprir meus termos da aliança. Eu estou em aliança com você."

Outra aliança importante na Bíblia é entre dois amigos, Jônatas e Davi. A Bíblia diz: "E Jônatas fez um acordo de amizade com Davi, pois se tornara o seu melhor amigo. Jônatas tirou o manto que estava vestindo e o deu a Davi, com sua túnica, e até sua espada, seu arco e seu cinturão" (1Samuel 18:3,4).

Davi e Jônatas trocaram as túnicas para mostrar que estavam se tornando um. Eles trocaram de cinturão, o que ilustrava o fato de que estavam ajudando um ao outro nas fraquezas. A troca de armas simbolizava que eles lutariam contra os inimigos um do outro. Então, eles pegaram um animal e, adivinhe? Cortaram-no ao meio, colocaram as metades uma de frente para a outra, ficaram de costas um para o outro e passaram pelas metades ensanguentadas do animal formando um oito, o que ilustra a natureza eterna da aliança.

Na aliança, eles estavam dizendo: "Deus, se quebrarmos este pacto, faça conosco o que fizemos com este animal." Então, aquela parte da aliança foi chamada "caminhada da morte". Depois da caminhada da morte, eles pegaram o nome um do outro e fizeram um pronunciamento público: "Ei, estamos em aliança, um laço de sangue de vida e de morte." Em seguida, eles participaram de uma refeição feita em aliança.

O fato de terem chamado isso de "caminhada da morte" permite que percebamos a seriedade da aliança. Eles estavam dizendo: "Estou morrendo para meu ego. Estou neste negócio para sempre. Não me importo com o que aconteça. Se você estiver destruído, fracassado e aborrecido, venha o que vier, eu estou nisto para sempre, porque estamos fazendo este negócio diante de Deus. Estou me comprometendo com você — aconteça o que acontecer — com todos os meus defeitos. Mesmo sendo egocêntrico, imperfeito e tudo o mais, estou lhe dando minha vida diante de Deus."

O casamento segundo a aliança tem tudo a ver com renunciar ao ego. Quando o apóstolo Paulo pediu aos cristãos de Éfeso que se sujeitassem "uns aos outros, por temor a Cristo" (Efésios 5:21), ele estava falando com ambos os cônjuges. O casamento segundo a aliança tem tudo a ver com sujeição. Eu sujeito a mim, minhas necessidades e meus planos a Deus e a Lisa. E ela fez o mesmo a Deus e a mim.

Durante a *Sexperiência*, você se envolverá com o processo de submissão mútua. Você estará submetendo seu corpo, seus desejos e suas necessidades ao seu cônjuge. Mesmo que sua agenda fique cheia ou você esteja, de fato, atrasado durante a semana do desafio, lembre-se de que tudo tem a ver com submissão. Posso dizer que você experimentará um novo nível de alegria e de realização resultante da submissão. Suas ações não só estarão agradando ao seu cônjuge, mas também a Deus.

Se permitirmos que a aliança nos controle no casamento, nós nos veremos fazendo coisas positivas que normalmente não fazíamos, dizendo coisas boas que normalmente não dizíamos e praticando gestos de cortesia que normalmente não praticávamos. É a influência do amor segundo a aliança.

Certa vez, uma amiga convidou a mim e a Lisa para passarmos algumas horas em um *resort* maravilhoso. Estávamos deitados ao sol, e havia pessoas bonitas em iates. Era a alta sociedade. E eu estava usando óculos escuros com armação preta. Ninguém podia ver meus olhos. Bem, essa amiga queria que Lisa e eu conhecêssemos alguns de seus amigos, então ela chamou uma mulher que estava caminhando pela praia. E essa mulher se virou e começou a caminhar em nossa direção. Ela chamava muito a atenção! Ela desconcertaria qualquer modelo da Victoria's Secret. A mulher usava um biquíni menor que um lenço.

Tenho certeza de que você está se perguntando o que passou por minha cabeça quando vi essa mulher se aproximando. Bem, era a combinação perfeita, porque sou um homem normal e viril. Então, pensei: Uau! Maravilhosa! Entretanto, eu não disse essas palavras em voz alta (sou muito esperto).

O que você faz quando tem um cenário como esse? Você simplesmente aprecia a beleza? Ou você vai a um lugar chamado Luxúria Vegas? (Falaremos sobre esse lugar em um capítulo posterior.) Em um caso como esse, não se pode dizer: "Tem a ver comigo e com o que eu gosto", porque você está em um relacionamento fundamentado na aliança, que tem a ver com unidade.

O casamento com base na aliança tem a ver com "nós dois". Quando falo sobre a luxúria, isso tem a ver com nós dois — Lisa e eu —, porque nos afeta. Então, o que eu fiz com relação àquela bela mulher? Honrei nossa aliança com meus olhos. Tirei os óculos escuros. Eu queria que Lisa visse meus olhos. Eu queria que essa jovem visse meus olhos. Olhei-a nos olhos. É óbvio que vi que ela era bonita. Senti a atração, a força me levando à tentação. Mas pensei comigo mesmo: Sabe de uma coisa? Meu corpo é de Deus. Meu corpo é de Lisa. Não vou por este caminho. Vou honrar nossa aliança e colocar Lisa em primeiro lugar.

Quando optamos por permanecer na segurança e proteção da aliança, crescemos na unidade porque fazemos com que ela seja mais importante que quaisquer sentimentos, desejos ou emoções humanas.

Buracos na estrada que leva à unidade

A estrada que leva à unidade raramente é plana todos os dias ou ao longo do caminho. Há muitos buracos nela. Deparei com alguns e você também, e eles continuarão a aparecer. Mas se você mantiver Cristo em primeiro lugar, no centro de seu casamento, ele preencherá os buracos e aplainará os lugares acidentados.

Como seguidores de Cristo, marido e mulher não são uma só carne apenas pelo casamento, mas também são um em Cristo. Deus falou claramente por meio de sua Palavra que uma séria unidade deveria acontecer no casamento cristão. Você não pode dizer: "Bem, o problema é dele", com relação ao seu marido, ou: "O problema é dela", com relação à sua esposa. Não, o problema é *nosso*.

Pedro, um dos discípulos de Jesus, disse: "Tenham todos o mesmo pensamento" (1Pedro 3:8 - tradução livre). Em seguida, ele disse: "Sejam compassivos, misericordiosos e corteses."

A palavra *cortês* tem a palavra *corte* nela. Quando é cortês com seu cônjuge, você o está cortejando. O que você faz, por exemplo, quando seu companheiro está fazendo um trabalho doméstico pela casa? Felizmente, sua primeira reação não é: "Aquele lugar está sujo!", mas, provavelmente, são palavras de apreço. Quando você se levanta cedo e aumenta a temperatura do termostato para que a casa esteja quente quando seu cônjuge sair da cama, você está sendo cortês.

Mas o inverso também é verdadeiro. Quando critico Lisa ou ela me critica, estamos, na verdade, criticando-nos, porque somos um. Não deveria ser um relacionamento de desarmonia, mas de harmonia. Em nosso mundo egoísta e egocêntrico, nossa sociedade tem dificuldade em entender o conceito de harmonia e de unidade nos relacionamentos. A competição, tão comum em nossa cultura de tentar parecer melhor do que os outros, nunca deveria ter espaço no projeto conjugal, porque nossas críticas e nossos julgamentos quase nunca servem para edificar a outra pessoa. Ao contrário, as pessoas normalmente usam as críticas como munição para darem a impressão de que são melhores ao humilhar a outra pessoa. Mas o apóstolo Paulo diz que nossa palavra deve ser "útil para edificar os outros, conforme a necessidade, para que conceda graça aos que a ouvem" (Efésios 4:29).

Quando justificada, a crítica deve ser feita de maneira oportuna e respeitosa. O principal objetivo da crítica é melhorar e enriquecer a situação, não fazer as coisas desmoronarem. Cada um de nós deveria ser receptivo à crítica oportuna. Mas deveríamos ser muito mais generosos com as palavras gentis (incentivos) do que com as críticas.

Você está avaliando as palavras que diz para seu cônjuge de acordo com as necessidades dele? Ou às vezes você escolhe um blá-blá-blá psicológico para satisfazer sua própria necessidade visível de se sentir melhor e fazê-lo se sentir pior? Esqueça o blá-blá-blá psicológico e concentre-se nas palavras, expressões e conversas fundamentais que irão edificar vocês dois como uma só carne.

De certo modo, a *Sexperiência* é uma ferramenta natural para ajudá-lo no processo de edificação. O tipo de intimidade que o desafio promove em você exige que você se relacione com seu cônjuge de modo cortês e compassivo; do contrário, você não terá sucesso nele. Pense nisto: você dificilmente será motivado a ter intimidade se estiver irritado, hostil ou com rancor do outro. A intimidade sexual requer submissão, compaixão e todas as palavras e comportamentos que ajudem você a edificar o outro.

Antes de começarem o desafio, façam um exercício visual que irá ajudá-los a ver aonde vocês estão tentando ir como um casal. Tentem a aliança do sal. Alguns casais incorporaram essa aliança como parte de sua cerimônia de casamento. Esse símbolo da aliança tem base em Números 18:19 e 2Crônicas 13:5.

Durante a cerimônia de casamento, o noivo e a noiva colocam uma pequena quantidade de sal nas mãos. Os dois podem despejar o sal em um único frasco e determinar que a aliança só poderá ser quebrada se ambas as partes puderem encontrar e separar cada grão de sal que colocaram lá dentro.

Alguns casais jogam o punhado de sal na direção do vento. Uma vez que o sal é levado pelo vento e, por fim, desaparece, a aliança é estabelecida. Eles só podem ficar livres da aliança do casamento se puderem recuperar todos os grãos de sal que foram lançados ao vento. Fazer essa experiência com seu cônjuge pode ajudá-lo a fazer uma conexão visual com a unidade que vocês esperam conseguir.

É isso que acontece quando as pessoas se unem no casamento. Deus diz que haverá tanto amor, vulnerabilidade e compromisso neste relacionamento de uma só carne que ele será o maior relacionamento humano do mundo. E, quando vocês seguem o plano de Deus para seu casamento, será impossível desfazê-lo.

Passos práticos

1. Lembrem-se de seus votos conjugais e recitem-nos regularmente (uma vez por mês, durante um encontro à noite).

2. Usem os Dez Mandamentos da Unidade como base para criar seu próprio conjunto de mandamentos a fim de construírem a unidade em seu casamento. Perguntem a si mesmos: Nosso casamento é um contrato ou uma aliança? Estabeleça um ato de sacrifício que você pode fazer para demonstrar ao seu cônjuge a natureza da aliança de seu casamento.

3. Você e seu cônjuge devem criar listas separadas de áreas no casamento nas quais vocês obtiveram unidade. Comparem as listas para ver se vocês estão de acordo. Elogie seu cônjuge pela disposição e paciência em investir na unidade naquelas áreas específicas. Discutam as áreas de seu casamento nas quais vocês têm consciência de que alcançaram a unidade.

Conversem sobre como vocês podem contar com os sucessos para criar unidade nas áreas nas quais vocês ainda precisam trabalhar.

4. Ambos os cônjuges devem se perguntar: Eu me sinto seguro em nosso casamento? Compartilhe os componentes de seu casamento que confirmam seus sentimentos de segurança. Em seguida, discuta os buracos com os quais você deparou na estrada que leva à unidade em seu casamento e como eles deveriam ser superados.

5. Escreva sobre como você acredita que os sete dias de sexo podem favorecer seu casamento ao longo da jornada da unidade.

6. Faça a aliança do sal como um símbolo de seu compromisso com a aliança que serve de base para seu casamento.

Antes de casar

Neste exato momento, o processo de se tornar um parece romântico. Você provavelmente mal pode esperar para chegar lá. Mas entenda que a unidade é um processo que começa assim que você faz os votos. Não é algo automático só porque você diz "sim".

Talvez vocês queiram ter a vela da unidade em sua cerimônia de casamento. Nesse ato simbólico normalmente há três velas no candelabro — duas nas laterais e uma no meio. A vela no meio não está acesa. As duas velas nas laterais estão acesas e, então, a noiva e o noivo pegam cada um a sua vela acesa e acendem a do meio. Em seguida, a noiva e o noivo apagam cada um a sua vela. Acender a vela da unidade é um ato que diz: "Uma vez que me uno a você, entrego minhas coisas, meus sentimentos, meus desejos, minhas necessidades para que possamos nos tornar um."

Pensem se vocês estão preparados para ir além de um simples ato simbólico em uma cerimônia. Vocês estão dispostos a fazer o que for preciso para se tornarem um — morrer para si mesmos a fim de alcançar a unidade no vínculo do casamento com base na aliança?

Você tem alguma área de sua vida que será uma zona proibida para seu futuro cônjuge? Olhe para dentro de si mesmo e veja se você já está fazendo planos para o divórcio ao imaginar modos de manter a ideia de separação no relacionamento depois de se casar.

Jugo não é jogo

Amós, um profeta do Antigo Testamento, perguntou: "Duas pessoas andarão juntas se não estiverem de acordo?" (Amós 3:3). Duas pessoas que seguem em direções opostas não podem se tornar uma só. É por isso que Deus quer que os cristãos estejam no mesmo jugo com outros cristãos em se tratando de casamento. Deus quer nos poupar da dor e da agonia de estarmos ligados a uma pessoa com quem nunca poderemos alcançar a unidade. Seu desejo para nós é que nos unamos em aliança com alguém que será um modelo do amor de Cristo. Deus criou o casamento para ser uma instituição na qual — e por meio da qual — podemos prosperar e nos aproximar dele.

Se você fizer uma conexão amorosa com alguém que não está usando o mesmo manual do proprietário que você, o relacionamento está fadado a ter sérios problemas. Não use a "mentalidade da exposição" durante o namoro. As concessionárias de carro dizem que, quando homens e mulheres pensam em comprar um carro, eles entram no salão de exposição, observam as linhas da carroceria e se concentram em algumas características do carro. A maioria deles comprará aquele carro nas próximas 24 a 48 horas. Eles tomam uma decisão rápida com base em algumas características. Essa é a mentalidade da exposição. Olhe bem para a pessoa como um todo, não apenas para algumas características atraentes, para determinar sua capacidade de criar unidade com ela.

Namoro tem tudo a ver com encontrar o *melhor*. Por mais casual e por mais platônico que seja, cada pessoa com quem você passa tempo é alguém sobre quem você provavelmente fará a pergunta: Esta poderia ser a pessoa certa? Se ela é ou não "a pessoa certa", conecte-se com outros seguidores de Cristo, até mesmo no namoro. Vocês só chegarão ao seu destino se estiverem igualmente unidos em Cristo. Então, por que não fazer isso desde o começo?

4
É hora de tirar a roupa

Um dos maiores elogios que Lisa e eu já recebemos aconteceu enquanto estávamos fora da cidade. Todos os dias da viagem, passávamos por uma série de lojas perto do hotel onde estávamos hospedados. Uma delas era uma lojinha de joias. Todo dia, entrávamos nela, dávamos uma olhada e conversávamos com o dono da loja. Por fim, ele descobriu que eu era pastor. Quase no final da semana, ele nos parou e disse: "Eu quero dizer uma coisa para vocês. Tudo o que vocês estão pregando, eu sei que é verdadeiro, porque o casamento de vocês é verdadeiro. Vocês realmente se amam. Dá para dizer isso pelo modo como vocês se tratam."

Quando saímos da loja naquele dia, Lisa e eu dissemos um ao outro: "Incrível! Não somos perfeitos, mas, de alguma maneira, este homem viu Deus no modo como nos tratamos. Eu acho que este é o maior elogio que já recebemos!"

O que esse homem viu em nosso casamento? Em Lisa e em mim? Acredito que ele tenha visto o clímax de muitos anos de trabalho para a sinceridade e a intimidade no casamento. Lisa e eu somos completamente sinceros e íntimos em nosso casamento. Mas eu acredito que o dono da loja tenha visto a manifestação pública da intimidade privada em nosso casamento. Lisa e eu estamos comprometidos um com o outro, mas, de vez em quando, é bom que alguém perceba que nosso compromisso é real e verdadeiro. É o maior testemunho que tenho como pastor, como cristão e como marido. Quando vocês são completamente sinceros e íntimos um com o outro em particular, essa sinceridade transcende todo aspecto de seu relacionamento.

A nudez é um dom que Deus deu à humanidade. Os animais não ficam nus. Nosso *dobermann* não diz: "Ah, vire o rosto! Deixe-me pôr meu short antes de você olhar para mim!" Os cachorrinhos que vestimos com roupinhas engraçadinhas não ligam para essas roupas. Na verdade, na maioria das vezes, eles mal podem esperar para tirá-las.

O primeiro homem e a primeira mulher que Deus criou estavam nus (ver Gênesis 2:25). Adão não foi feito por Deus com um terno Armani, e Eva não foi criada por Deus usando um salto de quase treze centímetros de Jimmy Choo. Eles estavam nus, mas não apenas fisicamente. Eles estavam nus emocional e espiritualmente.

A Bíblia diz que o primeiro homem e a primeira mulher que Deus criou estavam nus e não tinham vergonha. Agora, isso é interessante, porque a maioria das pessoas quer cobrir sua nudez se não estiverem com roupas. É por isso que usamos roupas. No entanto, Adão e Eva não sentiram vergonha. Por quê? Porque eles estavam unidos no vínculo do casamento. Sua nudez transcendia seu estado físico. Eles não tinham nada a esconder ou ocultar um do outro nem de Deus. Foi só quando o pecado entrou que eles se sentiram envergonhados. O pecado faz-nos sentir vergonha.

O desígnio de Deus é que fiquemos nus no casamento. Não se preocupe; não estou sugerindo que os casais devam andar sem roupas 24 horas durante todos os dias da semana. Nudez pressupõe sinceridade, sem barreiras à intimidade e à confiança. O que significa intimidade? Significa ser plenamente conhecido. No casamento, devemos ficar nus física, emocional, espiritual, econômica e psicologicamente para que possamos ser plenamente conhecidos um pelo outro.

A *Sexperiência* é uma aventura à nudez — o tipo de sinceridade e de vulnerabilidade que é essencial para a verdadeira intimidade no casamento. A nudez acontece dentro da aliança do casamento.

Milhões de pessoas passaram dos limites ao ficarem nuas com alguém fora dos limites do casamento. A Bíblia diz várias vezes que não devemos tirar o sexo de seu contexto. Não devemos transformar o sexo bom (no contexto do casamento) em sexo trivial (antes do casamento ou em casos extraconjugais).

Existem duas opções em se tratando de sexo. Você faz sexo bom ou sexo trivial. Pense nisso como a cama grande ou a cama pequena. Em nossa casa, as camas pequenas são reservadas para os cachorros. As pessoas não dormem nelas. Contudo, é isso que o sexo fora do casamento faz. Ele sai da cama grande do casamento e vai para a cama pequena do cachorro, dizendo: "Não há o que fazer. Eu sei o que Deus quer que eu faça com o sexo. Eu sei que ele o reservou para o casamento. Mas eu não passo de um animal. Não posso deixar de ter relações sexuais sempre, onde quer que esteja e com quem quer que seja. Eu sou um animal no cio."

Mas quando tiramos a essência (o sexo) de seu contexto (o casamento), há apenas um resultado: o caos. A verdade é que não somos animais. Não somos cães no cio. Somos pessoas, criadas à imagem de Deus. E Deus não quer que experimentemos o sexo trivial na cama do cachorro; ele quer que experimentemos o poder e o propósito do sexo maravilhoso na cama certa.

O sexo bom acontece no leito matrimonial. O sexo trivial acontece fora do leito matrimonial. Não devemos minimizar ou banalizar o sexo nem reduzi-lo a um ato físico que satisfaz uma necessidade, assim como comer quando estamos com fome. Devemos manter o sexo na cama grande, reservado apenas para o casamento.

Como manter o sexo de qualidade? À maneira de Deus, confiando nele. Se for casado, você confia em Deus. Se for um adulto solteiro, você confia em Deus. Se estiver para se casar, você confia em Deus.

Se saímos da cama grande e nos deitamos na cama pequena do pecado sexual, as repercussões têm consequências tão terríveis que é difícil entender todas elas. Não é preciso ser um neurocientista para ver que nosso mundo está diante de todo o tipo de doenças, destruição e confusão. E uma grande parcela disso se deve ao pecado sexual — usar o sexo fora do plano de Deus para ele. Converso com muitas pessoas sobre pecado, porque, afinal de contas, o pecado é de meu interesse. Converso com pessoas que estão envolvidas com drogas. Converso com pessoas que tiraram a vida de outra pessoa. Converso com pessoas que roubaram e se envolveram em todo o tipo de pecado. Mas, depois de todas as conversas que tive com as pessoas sobre os pecados delas, estou convencido de que não há pecado como o pecado sexual, pois o nervo sexual está entrelaçado no íntimo de nosso ser.

Nossa cultura diz que o sexo não é grande coisa. Mas é grande coisa, sim; é algo muito grande! Deus o fez grande, e nós o mantemos assim quando o honramos como o ato glorioso de adoração que Deus queria que ele fosse. Quando acontece a relação sexual entre marido e esposa, ela é um reflexo da natureza e do caráter de Deus. Os aspectos femininos de Deus juntam-se aos aspectos masculinos para se tornarem uma coisa só.

O sexo não é apenas um ato físico. É uma coisa da alma. É uma coisa trinitária — uma parte de nossa mente, uma parte de nosso corpo e uma parte de nosso espírito. Não podemos fugir disso. No entanto, as pessoas dizem: “Ei, só vamos transar!”

"Amizade colorida", dizem. E elas acham que podem deixar a alma fora do quarto e simplesmente ter uma relação sexual. Bem, as coisas não funcionam assim, porque não há esse negócio de "só sexo". Acho que as mulheres, em geral, entendem este conceito mais rapidamente que os homens, porque o ato sexual envolve, na verdade, entrar no corpo de uma mulher. Elas normalmente entendem a importância de alguém entrar em seu corpo. Muitas vezes, os homens não entendem isso com a mesma rapidez: o sexo não é apenas algo físico.

Se você e seu cônjuge praticaram o ato sexual antes do casamento, vocês descobriram algo depois de casados. As regras sexuais mudaram. No casamento, o sexo de qualidade está fundamentado em coisas que não são sexuais — romance, intimidade, conversa, ambiente. Mas você realmente só descobre isso depois de casado. Além disso, quando você se envolve sexualmente antes do casamento, isso é tão forte que pode anuviar sua cabeça e desviar sua atenção das coisas não sexuais nas quais você deveria investir antes do casamento. E agora que você está casado, uma vez que não tenha investido nessas coisas, suas tentativas de se conectar sexualmente podem ficar um pouco estranhas. Você percebe agora: "Ah, não! Agora sexo tem a ver com um monte de coisas que não são sexuais."

As coisas não sexuais têm a ver com trabalho. Têm a ver com estar aberto, vulnerável e nu. É difícil para muitos homens ficarem emocionalmente nus, por isso temos muitos envolvidos com pornografia e cobiça. Talvez eu tenha de renunciar ao meu cartão de homem por isso, mas muitos homens simplesmente não querem fazer o trabalho que a verdadeira intimidade requer. Eles não querem se comunicar, por isso se sentam diante da televisão e ficam passando de canal em canal à procura de seios e partes do corpo ou vão para antros e observam enquanto as mulheres se exibem para eles, ou vivem e se alimentam de cobiça e têm relacionamentos extraconjugais.

Por que eles fazem isso? Por que trocariam algo tão bonito e especial como a verdadeira intimidade por algo tão comum e sem criatividade como a pornografia ou a luxúria? Eles fazem isso porque, sejamos realistas, é fácil.

Às vezes, está faltando a verdadeira intimidade porque marido e esposa fazem, sem intenção, suposições. Usemos como exemplo um homem que é um bom provedor de sua família e é assim que ele demonstra seu amor. Mas talvez esteja faltando algo. Sua esposa talvez não corresponda aos seus sentimentos de intimidade, e ele se pergunta por quê. Esse homem pode dizer: "Eu não entendo por que ela não está feliz. Ela não precisa trabalhar. Ela tem um carro novo, uma bela casa e cartões de crédito para comprar o que quiser."

Mas talvez o que a esposa esteja querendo não é material. O que está faltando para ela são a intimidade autêntica e a verdadeira vulnerabilidade de seu marido em todas as outras áreas. O sexo, para as mulheres, começa muito antes de entrar no quarto com alguém. Começa com coisas como bondade, comunicação, toque sem segundas intenções. Entender suas necessidades é um grande passo rumo à unidade, assim como entender as necessidades do marido é um grande passo na direção da unidade.

Barreiras à intimidade

Há algumas coisas que podem impedir totalmente a sinceridade e a intimidade no casamento, e, se elas estiverem presentes em seu casamento, não se surpreenda quando vierem à tona durante a semana da *Sexperiência*. Pornografia, luxúria, masturbação, infidelidade, falta de perdão e qualquer tipo de abuso mantêm a intimidade confinada e contida no casamento. Há pessoas que acreditam que a pornografia, a luxúria e a masturbação ajudam a intimidade, mas, na realidade, elas não fazem nada para promover a intimidade, a sinceridade ou a unidade no casamento. Se qualquer uma dessas coisas estiver acontecendo em seu casamento, você pode ter certo nível de intimidade, mas não conhecerá o nível profundo de sinceridade que é o ponto alto no casamento.

Pornografia

Algumas pessoas, na verdade, dizem que pornografia é bom para o casamento. Tendo aconselhado muitos casais ao longo dos anos, posso dizer que isso simplesmente não é verdade. Nunca foi. Talvez seja útil para um casal de não cristãos, porque é algo com o qual eles concordam, algo que têm em comum. Talvez. Mas, em um casamento de cristãos, não é possível alcançar uma intimidade maior por meio da pornografia. Marido e esposa que veem o sexo e o casamento pela perspectiva de Deus também veem a matemática do casamento como 1 + 1 = 1. Não há espaço ali para uma terceira parte. A pornografia é uma terceira parte. Casamento e pornografia não condizem. Uma simples razão é que um dos cônjuges normalmente gosta, mas o outro, não. A pornografia é, muitas vezes, o segredo de um cônjuge que não serve a outro propósito que não impedir o casal de chegar à verdadeira vulnerabilidade e nudez. Ela mantém o cônjuge que a vê preso em um mundo de fantasia de partes do corpo perfeitas.

A pornografia impede a nudez, a sinceridade e a intimidade porque tem tudo a ver com ilusão. Especificamente, tem tudo a ver com a ilusão de intimidade. A pornografia diz: "Sim, é possível sentir e ter intimidade sem fazer um investimento pessoal." Isso é mentira.

O que a pornografia realmente faz? A pornografia priva o sexo e a nudez de seu significado idealizado por Deus. Ela tira o sexo do contexto e do propósito para os quais foi concebido. A pornografia também é muito egoísta. É tão tentadora para o homem porque ele comumente pensa: Não preciso investir, pensar ou correr riscos. Eu só vou me deixar feliz com a ajuda de todas essas imagens perfeitas à minha disposição por 24 horas durante os sete dias da semana. Essas mulheres nunca resmungam. Elas nunca têm dor de cabeça. Nunca estão ocupadas com crianças. Estão sempre dispostas, sempre sorridentes e sempre ali e no clima.

Ver pornografia é egocentrismo. É algo que só tem a ver com *você*, porque você pode surfar na internet, trocar de canal na televisão, alugar o vídeo e ir a clubes de *striptease*. E, enquanto está observando as *strippers*, você está se despindo a si mesmo e às mulheres de sua humanidade. Usar pessoas como mercadorias não é o método de Deus. Significa apenas luxúria.

Luxúria

Quando ficamos viciados na luxúria, começamos a brigar e prejudicamos as coisas inocentes que estão por perto — cônjuge, filhos, amigos e profissão. Então, Satanás nos enrola. Mas ele não pega e solta. Ele guarda toda pessoa que ele pega como um troféu. E, infelizmente, sua sala de troféus está cheia de vítimas. O Maligno tem neste exato momento uma estratégia para que a sua e a minha vida se sujem com a luxúria. Ele conhece o poder do sexo, e sua intenção é manter-nos envolvidos com o sexo trivial em oposição à experiência do sexo bom arranjado por Deus. É assim que ele é intencional. O Maligno usa nossa sexualidade, mas nunca nos satisfaz sexualmente, porque a luxúria sempre diz: "Mais, mais, mais."

Nunca conheci uma pessoa que dissesse: "Ed, quer saber? A luxúria é maravilhosa! Ela nos aproximou mais. Mergulhei de cabeça no poço da luxúria e foi incrível. Ela fez maravilhas para nosso casamento. Minha esposa e eu estamos mais próximos do que nunca."

Precisamos saber do que se trata o jogo do inimigo para podermos antecipá-lo e tomar precauções. Precisamos ver isso claramente, porque Deus quer o melhor para nós. Ele quer que experimentemos a grandeza e a plenitude, e podemos ter essas coisas quando sabemos o que o Maligno está aprontando e trabalhamos para evitar as armadilhas.

O inimigo não quer que você saiba que o melhor sexo acontece com seu cônjuge. Ele quer que você tenha medo da verdadeira sinceridade e intimidade no casamento. Ele quer que você pense que luxúria é melhor do que amor. Mas a verdade é que a luxúria faz com que você continue esperando por algo que é irreal e inatingível, em vez de se concentrar no que é real e verdadeiro, que é a intimidade com seu cônjuge. Esta é uma das razões importantes por que a *Sexperiência* tem sido uma bênção para tantos casais: eles puderam voltar a ter contato com o que é real na vida e no casamento deles.

Basicamente, existem três tipos de lascivos. Algumas pessoas são *lascivas por prazer*. A lascívia acertará você de vez em quando e causará confusão em sua caminhada com o Senhor. Você pode ver uma cena em um filme que alimenta um pouco a lascívia. Então, você a confessa, desvia-se dela e fica limpo. Você diz: "Sabe, isto não é um problema tão grande para mim. Tenho outros problemas em minha vida. Tenho outros sacos e bagagens para revirar, sabe? Isto realmente não mexe comigo."

Talvez você seja um *lascivo profissional*. Você aluga alguns filmes sobre os quais não quer que ninguém saiba. Você vai a lugares. Você tem conversas. Você já leu romances, revistas, seja o que for, sobre os quais realmente não quer que as pessoas saibam e você tem um tipo de vida secreta lasciva, uma vida de pensamentos secretos. Você se interessa por pornografia na internet, se envolve com imoralidade e brinca com a cama do cachorro. E você está a ponto, talvez à beira, de cair na cama do cachorro. Você está, por assim dizer, andando em volta dela.

Então, há outro grupo que se assemelha mais com o *lascivo obsessivo*. Há um lado totalmente secreto sobre você que ninguém conhece. Você gasta centenas, talvez milhares, de dólares com pornografia, luxúria, prostitutas e casas de massagem, e ninguém sabe sobre sua obsessão particular. Você diz para si mesmo: "Cara, se alguém soubesse em que e com o que eu estava envolvido e o que eu estava fazendo, essa pessoa simplesmente me diria poucas e boas!"

Se você está obcecado pela luxúria, é provável que esteja organizando sua vida para satisfazer o impulso dela. Você tem esses impulsos, esses desejos, e diz repetidamente para si mesmo: "Eu *preciso* disso. Sexo é a necessidade mais importante que eu tenho. Eu tenho que transar."

Masturbação

A pornografia e a luxúria estimulam a masturbação. Na maioria dos casos, se a pessoa estiver envolvida com uma, estará envolvida com a outra. O que é masturbação? É fazer sexo consigo mesmo — autoerotismo. Não é preciso esforço algum para se envolver com a masturbação. É a maneira preguiçosa de ter seus desejos satisfeitos. Não é preciso investir em um relacionamento. Não é preciso correr o risco de ser íntimo. Não é preciso ser vulnerável. Não é preciso se comunicar. Não é preciso se envolver mental, física ou espiritualmente. Não é preciso seguir a mesma cartilha. Não há altruísmo. É simplesmente isto: "Eu vou me satisfazer. Vou tirar o sexo de seu contexto e fazer sexo comigo."

Não há como criar intimidade e unidade no casamento quando um ou ambos os cônjuges estão investindo energia na satisfação de desejos físicos pessoais, em vez de dividir esses desejos como um momento íntimo no leito matrimonial.

A pornografia, a luxúria e a masturbação são como um círculo sem fim. Quando você entra em uma delas, as outras se alimentam desse gigante que, aos poucos, assume o controle de sua vida. Por mais que você tente dizer para si mesmo que isso não está prejudicando ninguém, não é verdade. Prejudica você. Prejudica seu cônjuge. Prejudica seu casamento, porque o tempo e a atenção que você deveria dedicar para criar unidade e intimidade estão sendo investidos em uma atividade que só pode derrubá-lo, em vez de edificá-lo.

Infidelidade

A infidelidade é dolorosa. Seja um caso virtual, um caso de amor com a pornografia ou um caso extraconjugal totalmente real, ele é devastador para o cônjuge ofendido e para o próprio casamento. Continue a leitura para entender a dor que a infidelidade provoca.

> *Caro Ed,*
>
> *Nosso casamento não era perfeito, mas era nosso e era tudo o que conhecíamos. Ele era meu melhor amigo e eu confiava totalmente nele. Houve sinais. Eu não os ignorei, mas comecei a desconfiar e prestar muita atenção. Finalmente, tive coragem de perguntar a ele sem rodeios, frente a frente: "Você e sua colega de trabalho estão tendo um caso?" Meu marido e melhor amigo de muitos anos olhou bem dentro de meus olhos e mentiu.*
>
> *Houve momentos em que eu sabia que ele estava falando com ela ao telefone. Muitas vezes, eu colocava a mão no telefone ao lado de minha cama e cogitava a ideia de pegá-lo para ouvir. Assim, eu teria certeza; as especulações acabariam. Mas eu não conseguia fazer isso porque, se fosse verdade, doeria muito, e o que eu iria fazer?*
>
> *Finalmente, minhas suspeitas se confirmaram. Meus pensamentos e minhas ações perderam o controle. Fiquei obcecada com as mentiras, os detalhes do caso e os eventos que le-*

varam a ele. Continuei tentando juntar todas as peças do quebra-cabeça. Eu estava tomada por obsessões. Imagens de meu marido e sua amante passavam por minha cabeça dia e noite. Eu sempre acordava com sonhos envolvendo os dois na cama. Isso se repetia várias vezes. Deixei de me sentir segura com relação a mim mesma e à vida. Só havia negativismo, ciúmes, ira, desprezo, amargura, medo, solidão, feiura, desconfiança, exposição. Seu engano me deixou cega para o modo como eu me via. Comecei a duvidar e a questionar tudo sobre mim. Pensei: Deve ser eu. Eu devo ter provocado esse caso. Tenho que mudar. Percebi que o destino de nosso casamento estava em minhas mãos.

Essa carta é uma exposição precisa da conduta e dos sentimentos que um cônjuge tem quando descobre que está sendo traído. Ao se envolver em relações sexuais fora do casamento, você está considerando apenas um aspecto do sexo — o físico — e praticando o ato sexual com alguém em um domínio físico. Você diz para si mesmo que é só aquilo, que não significa nada. Mas nunca é só sexo, mesmo quando é "só sexo".

Você não pode ter relações sexuais e pensar que isso não afeta sua alma e sua mente. Você não pode usar a dádiva de Deus dessa maneira e não sofrer as consequências. Ao tirar o sexo de seu contexto, você está fazendo mau uso dele. Você está cometendo um ato de blasfêmia. Você está tratando Deus com indiferença e agredindo sua mente, seu corpo e sua alma.

Na Bíblia, 1Tessalonicenses 4 diz muito sobre sexo: "A vontade de Deus é que vocês sejam santificados: abstenham-se da imoralidade sexual. Cada um saiba controlar o seu próprio corpo de maneira santa e honrosa, não dominado pela paixão de desejos desenfreados, como os pagãos que desconhecem a Deus" (vv. 3-5).

Às vezes, as pessoas leem passagens da Bíblia como essa e reagem assim: "Ah, todo esse papo sobre pureza sexual é tão arcaico. Falando sério, como é irrelevante para a cultura de hoje! Vivemos em uma cultura sexualmente livre. Se o apóstolo Paulo estivesse vivendo hoje, ele não saberia o que fazer." Não há nada mais longe da verdade.

O que Paulo ensinou naquela época ainda é muito relevante hoje. Quando ele escreveu aos tessalonicenses, sua cultura era muito mais corrompida que a nossa hoje, pode acreditar. Aquela cultura era mais descontrolada sexualmente que nossa atual.

Nesta carta à igreja de Tessalônica, Paulo basicamente está tratando de duas escolas filosóficas diferentes. Uma delas era a escola filosófica platônica. Platão ensinava que o corpo é mau e a alma é boa. E muitas pessoas aceitavam isso. Há muitos cristãos, hoje, que aceitaram essa mentalidade do modelo platônico, porque a Igreja tem perpetuado isso quando o assunto é sexo. A Igreja está em silêncio sobre aquilo que Deus discute livremente.

A outra metade do grupo à qual Paulo estava se dirigindo estava envolvida com as religiões pagãs. Essas religiões eram desenfreadas, porque a pessoa ia ao templo para adorar e ter relações sexuais com prostitutas durante a adoração. Elas acreditavam que isso abençoaria suas finanças e suas colheitas. Aposto que havia muitos homens assim na igreja!

Roma, na época de Paulo, era totalmente livre! Naquela época, um romano normal tinha três mulheres. Uma era "a mãe de seus filhos". Outra era como sua companheira intelectual. A terceira era sua escrava sexual.

O homossexualismo também era desenfreado em Roma naquela época. Muitos na igreja de Tessalônica viviam como homossexuais e fornicadores. Talvez não fossem espiritualmente fortes o suficiente para resistir às tentações sexuais ostentadas diante deles de maneira tão aberta. Portanto, era essa vida sexual despreocupada que Paulo tinha como cenário quando disse: "A vontade de Deus é que vocês sejam santificados..." (1Tessalonicenses 4:3). O que significa a palavra *santificado*? Basicamente, significa ser separado. Uma vez que recebemos Cristo, o Espírito Santo vem e redecora nossa vida de dentro para fora e nos separa do mundo.

Paulo, então, lhes diz: "Abstenham-se da imoralidade sexual." Esta palavra *imoralidade* é muito interessante. No grego, pronuncia-se *pornea*. Dela, temos a palavra *pornografia*. O que significa *pornea*? Significa sexo antes do casamento — fornicação, adultério, homossexualismo e uma lista de outros pecados. Se quiser anuviar seu discernimento, se quiser ficar confuso e atrapalhado, envolva-se com o pecado sexual. Ele nos engole como um todo. Por isso, devemos nos distanciar da imoralidade sexual.

"Cada um saiba controlar o seu próprio corpo" (v. 4), disse-lhes Paulo. Significa que podemos aprender isso. É um processo que acontece de dentro para fora. Nosso corpo importa. Nossa matéria importa. É importante para você o que você faz com seu corpo, e é importante para seu cônjuge.

Falta de perdão

É devastador quando somos feridos por uma pessoa a quem prometemos ter uma conexão para toda a vida diante de Deus. Infidelidade, vícios secretos de pornografia, casos pela internet e outros abusos de confiança destroem um casamento. Esses comportamentos são errados, e não há como defendê-los. Mas, uma vez que ocorram, o cônjuge ofendido tem de fazer uma escolha: "Vou continuar a viver com raiva, ressentimento e rancor? Ou, pela graça de Deus, faço minha parte para que nosso casamento volte a andar nos trilhos?" Não há como desfazer o mal uma vez que ele está feito, mas a falta de perdão só piora a situação.

Entenda que perdoar alguém não significa que você aceita a ofensa. O perdão não dá à pessoa permissão para ir e pecar novamente. Você não está lhe dando um passe livre porque, para falar a verdade, se o cônjuge que o ofendeu for sincero no sentido de querer reparar o erro e o mal cometido contra o relacionamento e restaurá-lo ao seu estado pleno, há um grande trabalho a ser feito.

"Mas como posso esquecer o que ele fez? Que dirá perdoar?"

Ninguém está pedindo para você esquecer, não agora, de qualquer maneira. Contudo, você pode começar a orar para ter desejo de perdoar. Talvez você nunca esqueça, e ninguém está, de fato, lhe pedindo isso, mas Deus perdoa e esquece. Nosso pecado, quando nos arrependemos dele, está, para Deus, tão longe quanto o Oriente está do Ocidente (ver Salmos 103:12). Talvez você não esteja preparado para afastar para bem longe de seu coração a transgressão de seu cônjuge, mas o pecado precisa ser removido do centro de seu relacionamento para que vocês possam seguir em frente. Não se pode criar unidade em meio à falta de perdão. Vocês não podem crescer na unidade se não houver perdão. Seu cônjuge não pode crescer em direção à unidade se viver sob a esfera da falta de perdão.

Não só seu cônjuge precisa conhecer o perdão, mas você também. Perdoe, por amor a si mesmo e pelo bem de seu casamento. É preciso muita energia emocional e espiritual para não perdoar, uma energia que poderia ser mais bem usada para construir um alicerce sólido de confiança, intimidade e, por fim, unidade.

Efésios 4:32 é um versículo que apresenta a verdade de maneira clara: "Sejam bondosos e compassivos uns para com os outros, perdoando-se mutuamente, assim como Deus os perdoou em Cristo."

Durante nossa cerimônia de casamento, meu pai, o dr. Ed Young, desafiou Lisa e a mim com essse versículo. Ele nos disse que, se quiséssemos alcançar o ápice no casamento que Deus tinha reservado para nós, tínhamos de pôr em prática esse versículo todos os dias. Durante trinta anos, este tem sido o versículo de nosso casamento para toda a vida. E tem tudo a ver com perdão.

Abuso

Talvez você já tenha sentido muita mágoa em seu casamento. Talvez seu cônjuge ainda diga: "Perdão!", e todos os pedidos de desculpas sejam para você palavras vazias por causa da mágoa e da dor que se repetem continuamente. O comportamento abusivo pode assumir muitas formas, mas, com muita frequência, ele é físico, mental, emocional ou sexual.*

Nunca se pode construir a unidade sobre o alicerce do abuso. A nudez só pode acontecer em uma atmosfera de confiança, e o abuso mata a confiança em um relacionamento. Além disso, um casamento abusivo não é estável, e a estabilidade é um componente importante do tipo de intimidade que leva à sinceridade no casamento. Algumas esposas cristãs submetem-se a abusos por causa de uma interpretação distorcida de Efésios 5:22,23.

Mas Paulo faz o marido se lembrar de amar a esposa como Cristo amou a Igreja. "Da mesma forma, os maridos devem amar cada um a sua mulher como a seu próprio corpo. Quem

---

* Queremos ser muito claros sobre esta questão. Se estiver em um ambiente onde você está sofrendo abuso físico e correndo algum tipo de perigo, saia imediatamente. Procure ajuda da lei e amigos íntimos. De modo algum você deve permanecer em uma situação que ameace sua saúde ou sua vida ou a de pessoas próximas a você, como seus filhos.

ama sua mulher, ama a si mesmo. Além do mais, ninguém jamais odiou o seu próprio corpo, antes o alimenta e dele cuida, como também Cristo faz com a igreja" (Efésios 5:28,29). Então, caso o comportamento abusivo fazça parte de seu casamento, se você não tomar providências imediatas para acabar com ele e aprender maneiras saudáveis de expressar raiva e frustração, ele impedirá que você e seu cônjuge desenvolvam a verdadeira intimidade.

Algumas esposas têm certo bloqueio para ficarem nuas e serem sinceras no casamento por causa do abuso que sofreram no passado, seja durante a adolescência ou talvez até em um casamento anterior. O abuso que elas sofreram bloqueia sua capacidade de confiar no casamento. Os cônjuges que sofreram abuso sexual durante a infância ou adolescência, muitas vezes, têm barreiras ou muros emocionais que os impedem de vivenciar a nudez no casamento que leva a uma ligação saudável de unidade.

Qualquer tipo de abuso é um abuso de confiança, e a confiança é essencial para criar intimidade e sinceridade. Como parceiros de uma aliança, é dever de ambos os cônjuges trabalharem para superar o abuso a fim de que possam embarcar na estrada que leva à unidade. Não importa quem sofreu o abuso, o problema não é só do marido ou da esposa. O problema é de ambos os cônjuges. O problema é do casamento.

O abuso é um monstro, um gigante, e pode ser assustador confrontá-lo, caso tenha ocorrido no passado ou esteja acontecendo em seu casamento neste exato momento. Contudo, assim como Deus preparou Davi com coragem e sabedoria para enfrentar e derrotar o gigante Golias, ele preparará você com as ferramentas necessárias para derrubar o monstro do abuso (quer você o conheça ou não) que está mantendo o muro que impede a intimidade entre você e seu cônjuge (ver 1Samuel 17).

O gigante do abuso não é grande demais para ser derrubado! Se você for sincero em se tratando de levar seu casamento a um nível mais profundo de intimidade, de sinceridade e de unidade, ore e peça a Deus para prepará-lo com as armas de que você precisa para lutar contra o gigante.

Qualquer uma das barreiras à intimidade sobre as quais você acabou de ler pode ser considerada antes de vocês participarem da *Sexperiência*. Afinal, o importante é ajudá-los a ficarem mais próximos um do outro. Você e seu cônjuge talvez precisem ver se as barreiras à intimidade poderão ser discutidas durante o desafio ou se devem ser consideradas antes de participarem dele.

Olhe no espelho

Quando olho para meu casamento com minha esposa, ele revela quem realmente sou. Foi por isso que Lisa e eu escrevemos um livro chamado *The Marriage Mirror* [O espelho do casamento]. O casamento, na verdade, é um espelho porque reflete ambos os cônjuges com o que eles têm de melhor e de pior. Quando olho nos olhos de Lisa, vejo um grande espelho. Quando ela olha em meus olhos, ela vê no espelho uma imagem da Lisa com o que ela tem de melhor e com o que tem de pior.

Uma das razões por que as pessoas desistem do casamento é que elas não gostam do que veem refletido. Não gostam que seus lixos e seus medos lhes sejam mostrados. Não gostam de ser confrontadas com suas incoerências, porque, ao olhar para seu cônjuge, você vê refletido o que *você* tem de melhor e o que tem de pior. É por isso que tantos casamentos não têm intimidade e tantos casamentos acabam; as pessoas não gostam do que veem no espelho. Por isso, passam de um relacionamento para outro e de uma cama para outra. E, quando a situação se torna muito próxima ou muito íntima, elas vão embora. Elas "pulam fora".

Outros cônjuges permanecem no relacionamento, mas brincam de esconde-esconde no quarto. Agora, quando digo esconde-esconde no quarto, estou me referindo a cônjuges que se escondem do ato sexual, porque, quando os casais fazem amor, eles têm de revelar tudo.

A intimidade no casamento é essencial, por isso temos de ficar nus. Como mencionei anteriormente, no casamento estamos nus emocional, financeira, espiritual e fisicamente. Por isso, se ficarmos longe do quarto, se usarmos todas aquelas *sexculpas* sobre as quais falamos no capítulo 2, nunca teremos a intimidade — de sermos nós mesmos, examinarmos a nós mesmos — como os cônjuges deveriam ter. Os cônjuges brincam de esconde-esconde porque têm medo ou não gostam de sua raiva, de seu ressentimento. Então, eles saem fisicamente ou dizem para si mesmos: "Sabe de uma coisa? Eu realmente não entendo, então não vou ter relações sexuais com tanta frequência assim."

O que há de trágico nisso é que, se você não tem relações sexuais com tanta frequência, você realmente não precisa conhecer seu cônjuge. E é isso que é incrível na *Sexperiência*. Você pode correr, benzinho, mas não pode se esconder. No desafio, você e seu cônjuge terão relações sexuais com tanta frequência que terão de conversar. Não há outra saída. Você terá de lidar com os problemas que estão impedindo a intimidade em seu casamento. A *Sexperiência* expõe tudo — o bom, o mau e o feio. Quanto mais me aproximo de Lisa, mais eu vejo o que tenho de bom e de ruim, mais eu vejo o que Lisa tem de bom e de ruim.

Mas, na verdade, esse é o tipo de sinceridade e de vulnerabilidade que cria unidade no casamento. O inimigo quer que você pense que você não pode mostrar ou aceitar algum desagrado no casamento, mas isso não é um casamento real. A aliança no casamento pode sobreviver aos aspectos negativos, e os casais podem até usá-los para construir e fortalecer a intimidade e a sinceridade no relacionamento. Agora, ao aceitar o desafio, é hora de ver se você é capaz de amar além das "unhas sujas".

Todos nós devemos nos esforçar para ser o melhor que pudermos, para nós mesmos e para nosso cônjuge. No entanto, temos de permanecer em oração para podermos deixar para trás os aspectos negativos um do outro, assim como Cristo fez com os nossos, e, por sua graça, continuar na jornada que nos leva a ser uma só carne. Por causa do amor incondicional de Cristo, podemos estar nus diante dele, sujos e tudo mais. No casamento, devemos nos esforçar para expressar o amor incondicional para que possamos ficar nus um diante do outro.

Passos práticos

1. Compartilhe com seu cônjuge como você acredita que a *Sexperiência* pode ajudá-los a desenvolver a sinceridade. Lembre-se de que tudo tem a ver com ficar "nus".

2. Classifique seu nível pessoal de "nudez" em seu casamento. Você está totalmente nu? Se não estiver, pense no que o está impedindo, seja uma bagagem de seu passado ou alguma barreira à intimidade do presente. É aí que a verdadeira vulnerabilidade começa.

3. Elogie seu cônjuge pelas maneiras como ele ama você e se permita sentir-se amado e aceito, mesmo com as "unhas sujas".

4. Que comportamentos inibem a sinceridade e a intimidade em seu leito matrimonial (por exemplo, pode ser algo que inclua deixar as crianças dormirem em sua cama, dormir em quartos separados, períodos longos sem relação sexual, guardar rancor ou até um comportamento abusivo etc.)?

5. Sente-se com seu cônjuge e veja como vocês farão com que esses comportamentos não sejam problemas durante a *Sexperiência.*

Antes de casar

É realmente inspirador ver um casal que compartilha seu amor com sinceridade e honestidade. Muitas vezes vemos isso em casais de idosos e sorrimos. Vemos isso em casais que estão casados há vinte ou trinta anos e pensamos: Eu quero isso também. Os casais que fazem planos de se casar devem entrar nessa união com o coração disposto a estar aberto e mostrar tudo — o bom, o ruim e o feio.

Você pode lançar as bases agora para o futuro que terá com seu cônjuge. Você está escondendo grandes problemas da pessoa com quem está pensando em se casar? Se você estiver escondendo partes de sua personalidade agora, continuará a fazer isso no futuro. Além disso, um amor que não pode suportar um pouquinho de sujeira debaixo das unhas, sem dúvida, não poderá suportar as outras pressões conjugais que certamente virão.

Espero que você e seu futuro cônjuge estejam participando de sessões de aconselhamento pré-nupcial com um conselheiro cristão capacitado. A sessão de aconselhamento é um momento ideal para discutir suas expectativas para o casamento, incluindo filhos, carreira, finanças, sexo, relacionamento com parentes por afinidade e família estendida, e muito mais.

Estar nu no casamento — física, mental e espiritualmente — requer um verdadeiro esforço em uma atmosfera de amor e de confiança. Às vezes, será um desafio, mas, se você mantiver Cristo no centro de seu casamento, terá sucesso. Lembre-se da natureza de aliança de seu casamento.

Converse com seu futuro cônjuge sobre a razão por que uma aliança é diferente de um contrato. Reconheça que é o poder de Cristo que manterá seu casamento unido, e não quaisquer traços e características individuais que você tenha. Enquanto você planeja passar sua vida com seu cônjuge, examine-se para ver como você pode se aproximar mais de Cristo.

Discuta com seu cônjuge como o fato de estar próximo dele ajudará você a entender o tipo de amor e de segurança necessário para que você possa estar nu e aberto no casamento.

Jugo não é jogo

Não se pode chegar à unidade com uma pessoa com quem você está em um jugo desigual, por isso mantenha o foco de seus namoros em pessoas que possam se tornar um marido ou uma esposa. Deus insiste na compatibilidade espiritual. Isso significa sair apenas com pessoas que tenham em comum a visão de Deus e seu plano para a relação sexual. Ele espera que você namore essas pessoas.

Agora, você não precisa ter a maior quantidade possível de namoros. Isso não tem a ver com quantidade, mas sim com qualidade. Seus namoros serão maravilhosos porque um dos poucos com quem você namora pode se tornar seu cônjuge no casamento.

Casar-se é algo sério aos olhos de Deus, por isso deveria ser sério para você também. Deus nos diz para reservar o sexo para o leito conjugal, mas deixemos isso de lado por enquanto. Você também precisa se abster do sexo antes do casamento para manter a cabeça e as emoções claras com relação à pessoa com quem pretende se casar e por que motivo. A abstinência sexual impede você de se casar com alguém porque você acha que o sexo é bom e que ele irá mantê-los com vontade de estarem juntos.

O sexo antes do casamento prejudica e confunde. Prejudica sua mente, seu corpo e sua alma. Prejudica a outra pessoa, ainda que ela esteja disposta a participar. Você priva essa pessoa da humanidade ao mesmo tempo em que está se privando de sua humanidade.

Você não pode simplesmente dizer: "Você se resume à sua genitália, e eu me resumo à minha. Vamos usar a genitália um do outro, e tudo vai ser incrível na cama pequena."

Não! Você está tirando algo de Deus e de si mesmo. Você está tirando algo especial de seu contexto e dizendo: "É apenas físico." Mas não é só físico. Tem a ver com total e completa sinceridade e unidade no casamento. Ao mesmo tempo, tem a ver com a Trindade em você. Portanto, só fique nu desse jeito em sua noite de núpcias!

5

Cuidando de si mesmo e de seus interesses

Uma das maiores lições que podemos aprender no casamento tem a ver com os benefícios que resultam das situações em que os cônjuges colocam um ao outro em primeiro lugar. É isso que significa cuidar de si mesmo e de seus interesses. Seu casamento é o relacionamento mais importante que você tem.

Em muitos casamentos, cuidar de si mesmo e dos próprios interesses significa que cada cônjuge está prestando atenção em si mesmo. No entanto, esse não é um retrato verdadeiro do casamento. O casamento tem mais a ver com dar do que receber. Cuidar de si mesmo e dos próprios interesses deveria significar que cada um dos cônjuges está se entregando 100% ao casamento, e não 50%. Quando os dois dão 100%, as necessidades de ambos são satisfeitas.

Cuidar de si mesmo e dos próprios interesses é algo em que os casais ficam melhores, penso eu, à medida que ficam mais tempo juntos. Colocar as necessidades de Lisa em primeiro lugar é algo que aprendi ao longo dos anos. Ela gostaria de compartilhar uma história com você sobre o que significa cuidar de si mesmo e dos próprios interesses. Esse foi um daqueles momentos em que realmente acertei como marido.

A história de Lisa

Eu gostaria de falar sobre o maior presente que Ed já me deu, mas, para isso, tenho que lhe dar algumas informações. Ed e eu estamos casados há quase trinta anos e temos quatro filhos. Quando descobri que estava grávida de Laurie e Landra (nossas gêmeas), deixamos rapidamente de ser uma família de quatro pessoas para ser uma família de seis.

Alguns meses antes de trazermos as gêmeas do hospital para casa, fui até a caixa de correio e tirei dela uma revista Focus on the Family. Essa edição apresentava um artigo sobre as necessidades dos homens. Dizia que uma das maiores necessidades de um homem era um lar tranquilo, e pensei: Ah, Senhor, por favor, não. Se isto for verdade, estamos perdidos.

Pensei: O pobre Ed nunca terá suas necessidades supridas, porque eu simplesmente não consigo imaginar tranquilidade em nossa casa. Após o nascimento das gêmeas, Ed se saiu muito melhor do que eu no sentido de expressar suas frustrações. Ele perguntava coisas como: "Será que algum dia poderemos sair de novo para comer?", "Como vamos sair dessa?" "O que vamos fazer?"

Enquanto isso, eu sempre tentava manter viva aquela sensação de tranquilidade, dizendo coisas como: "Ah, tudo vai ficar bem". Mas, por dentro, eu dizia para mim mesma: "Não vai ficar bem". Depois de aproximadamente seis meses assim, minha frustração aumentou, porque reprimi meus verdadeiros sentimentos. Não fui honesta com Ed. Em vez disso, eu descarregava minha frustração em coisas pequenas que ele fazia. Eu gritava com ele e com as crianças.

Por fim, Ed, com sabedoria, perguntou: "Lisa, o que está acontecendo?"

E, finalmente, compartilhei minhas frustrações com ele. "Você fala que está difícil e pergunta o que vamos fazer, mas você sai todo dia e, ao passar por aquela porta, você parece bem. E você vai trabalhar e almoçar com adultos. Você sai e chega quando bem entende, na maioria das vezes. E eu me sinto sem saída, como se estivesse presa aqui no meio desta confusão constante em nossa casa. E, depois, tem aquelas viagens que você faz às vezes; sabe, talvez uma vez por ano você saia com alguns caras e vá pescar, e eu não consigo fazer isso."

Como foi incrivelmente maravilhosa a sensação de compartilhar, de fato, meus sentimentos e ver que Ed me ouviu com compaixão e carinho. Foi aí que Ed me deu o melhor e mais adequado presente que já recebi. Ele me disse: "Lisa, vou dizer o que vou fazer. Você vai fazer uma viagem." O presente que ele me deu foi que eu tinha de escolher aonde queria ir e com quem. Ele sugeriu um *spa* com algumas amigas, mas, em vez disso, optei por uma pousada em Jefferson, no Texas, completamente sozinha.

Dar aquela escapada foi tão importante para mim! O diário que levei comigo tinha quase trezentas páginas em branco, mas enchi duas páginas enquanto fiquei longe naquelas duas noites. Nunca tive tempo para fazer isso em casa. Apreciei muito o tempo que tive sozinha para meditar, orar, agradecer e passar um tempo a sós com Deus. Para mim, a melhor parte foi o simples fato de ficar sozinha e descansar, focando-me novamente nos objetivos que Deus tinha para minha vida e cumprindo-os.

Tive tempo para avaliar minha caminhada espiritual, minha caminhada como esposa, como dona de casa e com as crianças. Defini algumas metas para mim mesma, para nossa família, para meu relacionamento com Ed e as coisas que gostaríamos de fazer com nossos filhos. E, então, criei estratégias para atingir essas metas. Não adianta definir metas se você não cria estratégias para cumpri-las.

Mas, depois disso, tive tempo para mimos. Dormi. Não preparei comida para ninguém. Não levei ninguém ao banheiro. Não cortei carne para ninguém. Não limpei o nariz de ninguém. Só cuidei de mim. E amei! Fiquei totalmente sozinha, e foi ótimo. Mas a melhor coisa que fiz enquanto estava ali foi escrever uma lista com os membros de nossa família e imaginar maneiras pelas quais eles me abençoaram. Escrevi características positivas que amo em nossos filhos. Nada de críticas, apenas coisas positivas.

E, então, quando cheguei em casa, pude agradecer a cada um deles e revelar: "É isto que eu aprecio em você." Guardei o melhor para o final e escrevi uma lista sobre Ed. Imaginei os dias de nosso namoro, as coisas especiais que fizemos, os apelidos carinhosos que tínhamos um para o outro. Reservei um tempo para pensar nas coisas do presente que são maravilhosas: sua criatividade, seu riso, o orgulho que sinto do trabalho que ele realiza na igreja.

Aquela viagem foi muito importante para mim, e, provavelmente, muito daquilo se deve ao fato de que Ed se sacrificou para que eu a fizesse. Não foi fácil para ele. Ele reorganizou sua agenda. Teve de pegar alguns dias de folga. Foi um sacrifício para ele, mas ele se dispôs a fazer isso. Não por uma viagem para pescar, não por qualquer outra coisa, mas por mim. E aquilo significou muito para mim.

Sintonize-se com seu cônjuge

Antes da era dos recursos digitais e dos botões de busca automática de estações no rádio, você tinha que "sintonizar" a estação que queria com um seletor. Às vezes, você conseguia encontrar a estação de imediato, porque havia um sinal forte e claro. Em outras, você tinha de alternar o botão para frente e para trás, tentando localizar o ponto certo para sintonizar a estação desejada.

O casamento pode ser muito parecido com a tentativa de sintonizar aqueles rádios antigos. Sintonizamos em nosso cônjuge, esperando achar o sinal certo. Às vezes, os sinais são fortes e, em outras, são fracos. Como quando Lisa estava se esforçando para tentar manter a tranquilidade da casa após o nascimento de nossas gêmeas, o sinal que ela deu no início foi fraco. Mas, então, quando pude sintonizar suas necessidades, acertei um sinal que veio em alto e bom som. Ela precisava de um tempo com seu "eu".

O processo de sintonização é uma parte importante da intimidade sexual no casamento também. Uma vez que homens e mulheres têm estímulos sexuais diferentes, é preciso haver certa sintonização nisso.

Aprender a sintonizar é um grande benefício do desafio da *Sexperiência*. Ao fazer do sexo uma prioridade em seu relacionamento por uma semana, você e seu cônjuge começarão a sintonizar as necessidades um do outro.

Quando o marido está pensando nas necessidades da esposa e ela está pensando nas necessidades dele, temos duas pessoas em sintonia com o ritmo de sua paixão. Se você deseja fazer com que seu cônjuge entre no clima, terá de se aproximar dele do modo como ele deseja que você se aproxime.

Alguns casais não fazem a menor ideia de como os impulsos sexuais do homem e da mulher são diferentes, e isso pode causar muita tensão no quarto. Eu sempre acreditei que, em se tratando de sexo, os homens são velocistas e as mulheres são corredoras de longas distâncias.

Em um minuto, o homem pode estar pronto para correr a toda velocidade em direção ao sexo. Não importa se ele acabou de ter uma briga terrível com a mulher ou se sua conta bancária está negativa. Ele faz a transição rapidamente. A mulher, geralmente, segue em ritmo lento em direção ao sexo. O marido experimenta o sexo, e de suas experiências sexuais fluem seus sentimentos. A mulher é o outro extremo. Ela tem de experimentar sentimentos para poder experimentar a intimidade física.

O problema surge quando o marido espera que a esposa corra o máximo possível e a mulher espera que o marido vá em ritmo lento em direção ao sexo. Ele é agressivo e toma a iniciativa enquanto se apressa para fazer amor. Enquanto isso, ela serpenteia, explorando o caminho para entrar no clima.

Para que a intimidade sexual seja mutuamente prazerosa, ambos os cônjuges precisam sintonizar nas necessidades e nos desejos um do outro. O casamento ao estilo de Deus tem tudo a ver com o outro. Você submete seus desejos e necessidades ao outro.

Sexo tem a ver com o "sim"

Não muito tempo depois de eu começar a pregar sobre a *Sexperiência*, Lisa e eu fomos a um jogo de futebol. Um casal com seus setenta anos estava sentado atrás de nós e, durante o jogo, o homem se inclinou e disse: "Ei, obrigado por falar tão abertamente sobre sexo." Olhei para Lisa, que estava sentada ao lado de uma amiga, e tivemos de rir com esse comentário.

Naquele momento, eu disse: "Bem, fico agradecido. E... de nada."

Então, ele acrescentou: "Minha esposa sempre está disponível sexualmente. Ela quase sempre diz sim."

Aquilo foi informação um pouco além da conta, mas entendemos o que ele quis dizer. Sexo tem a ver com o sim. Eu sei que não é possível para ambos os cônjuges estarem à disposição para fazer sexo em todos os momentos. Por isso, sexo tem a ver com o "sim", mas temos de conhecer os momentos em que dizemos não para entendermos quando devemos dizer sim.

O sexo ou a ausência dele, muitas vezes, é o elefante no quarto sobre o qual não queremos falar, mas todos pensam nele.

Após o casamento, muitos cônjuges oferecem resistência, em vez de disposição. Eles estão tão ocupados com a tentativa de manter sua individualidade que põem de lado as necessidades de seu cônjuge. Eles dizem: "O corpo é meu. Eu tenho meus direitos." Mas não é isso que Deus diz. Uma vez que nos casamos, renunciamos aos nossos direitos e passamos a cuidar do corpo de nosso cônjuge. O casamento é o que você não faz e o que você faz antes de dizer "sim".

A Bíblia nos dá uma grande imagem do que deveria ser a relação sexual no casamento:

> Beba das águas da sua cisterna, das águas que brotam do seu próprio poço. Por que deixar que as suas fontes transbordem pelas ruas, e os seus ribeiros pelas praças? Que elas sejam exclusivamente suas, nunca repartidas com estranhos. Seja bendita a sua fonte! Alegre-se com a esposa da sua juventude. Gazela amorosa, corça graciosa; que os seios de sua esposa sempre o fartem de prazer, e sempre o embriaguem os carinhos dela. Por que, meu filho, ser desencaminhado pela mulher imoral? Por que abraçar o seio de uma leviana? O Senhor vê os caminhos do homem e examina todos os seus passos. As maldades do ímpio o prendem; ele se torna prisioneiro das cordas do seu pecado. Certamente morrerá por falta de disciplina; andará cambaleando por causa da sua insensatez.
>
> (Provérbios 5:15-23)

Aprender a dar apoio e ser amável é de grande importância no casamento porque, basicamente, somos criaturas egoístas. Não está em nossa natureza colocar sempre as necessidades de nosso cônjuge acima das nossas, mas isso é fundamental para o sucesso de um casamento.

A *Sexperiência*, bem como a satisfação sexual constante no casamento, requer que você coloque de lado suas necessidades para considerar as de seu cônjuge. Uma semana de sexo exige que você supra o casamento e seu companheiro, mesmo que seja incômodo para você. É por isso que é importante uma forte ETC (ética de trabalho conjugal). Casamento se escreve assim: T-R-A-B-A-L-H-O. Se quisermos abrir a porta para a satisfação conjugal, temos de manter uma ética de trabalho conjugal que seja incansável.

Trabalhamos para chegar ao momento do casamento. Namorar, conversar e aprender coisas um sobre o outro requerem em trabalho. É divertido, mas dá trabalho. Investimos muito nisso.

O problema acontece quando, uma vez casados, muitos de nós deixamos de trabalhar. Acabamos trabalhando em outros relacionamentos ou outras coisas. Trabalhamos em nosso relacionamento com nossos filhos. Trabalhamos em um relacionamento no escritório ou na ascensão dentro da empresa. Trabalhamos no jogo de futebol, no jogo de tênis ou na decoração da casa. Quase sempre, no entanto, nós nos esquecemos de trabalhar no alicerce do casamento.

Você pode dizer com sinceridade que se esforça tanto para agradar ao seu cônjuge quanto para agradar ao seu chefe no trabalho? Você trabalha com tanto afinco para agradar ao seu cônjuge quanto para agradar aos seus filhos?

E se você usasse em seu casamento a mesma energia e o mesmo esforço que investe no trabalho ou em seus *hobbies*? O que aconteceria se você tratasse seu escritório ou local de trabalho como trata sua casa? Você simplesmente não consegue se destacar em uma profissão investindo um esforço medíocre. Se fizer isso, você não irá durar muito.

Precisamos trabalhar para ter um bom relacionamento no casamento. É preciso trabalhar para aprender a priorizar a noite de namoro, e não a noite de jogo. É preciso trabalhar para conseguir tempo de qualidade e é preciso se comunicar para descobrir as necessidades do outro. É preciso trabalhar para colocar o casamento acima de nossos outros familiares, amigos, trabalho ou até mesmo membros da igreja.

Cuidar de si mesmo e de seus interesses significa que o marido precisa investir na criatividade no casamento, por meio de conversas importantes e atitudes românticas. A esposa precisa investir na criatividade no sexo e entender a importância do contato físico para o marido.

O casamento não é complexo, a despeito daquilo que nossa cultura defende. Vá à seção sobre casamento e relacionamentos em qualquer livraria de sua cidade. As prateleiras estão cheias de livros sobre casamento e a complexidade dos relacionamentos. E ouvir pessoas em programas de entrevistas e todos os especialistas em relacionamento só deixa o assunto mais confuso. Nada disso constrói um casamento. Casamento, na verdade, tem a ver com trabalho.

Use a *Sexperiência* para começar o trabalho que você pode ter negligenciado até agora em seu casamento. Durante sua semana de sexo, olhe para seu cônjuge com olhos diferentes. Olhe para o coração dele. Olhe para as necessidades dele. Uma vez que olhar além de si mesmo e se concentrar nas necessidades de seu cônjuge, você, felizmente, voltará a se conectar com as qualidades da pessoa por quem se apaixonou e com quem decidiu se casar. Quando as pessoas dizem que se cansaram do cônjuge, normalmente é porque um dos cônjuges ou ambos não conseguiram investir no trabalho.

As pessoas amam o sentimento de êxtase que vem do romance e da excitação sexual. O problema é que fomos condicionados a acreditar que experimentar essas emoções só é possível por meio de muitos parceiros ou conquistas sexuais.

Serei o primeiro a admitir que casamento não é êxtase, excitação e romance todos os segundos do dia. Mas eu também direi que é possível ter essas experiências constantemente no contexto de uma união conjugal monogâmica. Monogamia não significa monotonia! Portanto, Lisa e eu estamos incentivando os cônjuges a investirem a energia e o esforço que tantas vezes vão para casos extraconjugais em um caso amoroso com o próprio companheiro.

Como ter um caso com seu cônjuge

Sim, você leu corretamente a última frase. Tenha um caso amoroso com seu cônjuge! As pessoas investem tempo e energia consideráveis em casos extraconjugais. Por que não usar essa energia para ter um caso com o próprio companheiro? Com alguns passos simples, você encontrará em seu cônjuge o que pode ter pensado que só poderia ser encontrado fora do casamento.

Acredite que pode acontecer com você

Todo ser humano tem a possibilidade de se envolver em um caso extraconjugal. Não me interessa quem é você. *Pode* acontecer com você.

O rei Davi é descrito na Bíblia como um homem segundo o coração de Deus (ver Atos 13:22); mas até ele caiu na tentação da luxúria e do adultério. A Bíblia também diz que "quando você for tentado", Deus proverá um meio de escape. Portanto, Deus não diz *se* você for tentado, mas *quando*. Vamos ser tentados.

Como um jovem solteiro, fui ingênuo ao pensar que nunca me sentiria atraído por outra mulher depois de me casar com Lisa. Estávamos em nossa lua de mel no Mana Kai Hotel, no Havaí, sentados à beira da piscina, quando vi uma bela mulher passar. Ah, cara! Aquela foi minha primeira constatação de que o casamento não mata nossa atração por alguém que não seja nosso cônjuge.

O primeiro olhar não é pecado. Pecado é o que você faz depois desse olhar. Quando isso se torna uma atração que passa a ser um ato pecaminoso, e você cria imagens na mente e começa a cobiçar aquela pessoa, é aí que você começa a cair.

Cultive seu relacionamento com seu cônjuge

Envolva-se com seu cônjuge. Não gaste energia cultivando um relacionamento com um terceiro. Se tratando disso, invista o máximo de energia em seu casamento, porque um casamento maravilhoso não é algo que simplesmente acontece. É preciso trabalho.

Meu casamento com Lisa não acontece por acaso. Não é uma jornada fácil. O nível de intimidade em nosso casamento não é algo natural, porque eu sou uma pessoa egoísta. Digo coisas que eu não deveria dizer. Penso em coisas que eu não deveria pensar. Faço coisas que eu não deveria fazer. O mesmo acontece com Lisa.

Faz três décadas que temos trabalhado em nosso casamento. Muitas vezes não temos vontade de fazer isso, mas fazemos. Temos muita atenção nesse sentido. Passamos por períodos de seca. Passamos por períodos de inspiração. Mas posso dizer com total confiança que Lisa e eu temos um amor mais forte hoje do que quando nos conhecemos aos quinze anos de idade, por causa da ética de trabalho conjugal.

Toda vez que você perceber que seu casamento está se afastando do objetivo de cuidar de si mesmo e de seus interesses — e isso vai acontecer —, é você quem precisa se levantar, tomar rapidamente a iniciativa e ser muito criativo, pois, se não tiver cuidado, seu casamento pode ser induzido a um estado de previsibilidade, o que leva ao tédio e à busca por um maior entusiasmo em outros lugares.

Quando você e seu cônjuge estavam namorando seu cônjuge, provavelmente vocês se dedicavam um ao outro com criatividade, entusiasmo e paixão. Continuem assim! Usem a *Sexperiência* como ponto de partida. Nunca deixe de namorar seu cônjuge, e você não se deparará com o muro da monotonia e da previsibilidade. Cultive seu relacionamento com seu companheiro.

Preocupe-se com a dor no futuro

Quando você vir alguém por quem se sente atraído (porque isso vai acontecer), aqui está algo que eu o desafio a fazer. Eu faço. Preocupe-se com a dor no futuro.

O que quero dizer com isso? Você se preocupa com a dor no futuro quando se encontra com alguém na academia ou no mercado e pensa: Beleza! O que aconteceria se eu me casasse com esta pessoa que estou vendo na academia ou em qualquer outro lugar? Estamos nos relacionando e tudo o mais, mas, se eu levar isso ao próximo nível, o que vai acontecer? Cara, vou ser candidato a ter uma terrível dor.

Você já assistiu a uma luta profissional? Você conhece o "Garoto Natural" Ric Flair? E Dusty Rhodes, conhecido como "O Sonho Norte-Americano"? Dusty Rhodes dizia isto o tempo todo: "Vai haver uma dor séria hoje à noite na casa!"

Se você está pensando em ceder a um caso extraconjugal, pense na terrível dor do adultério. Pense em se apresentar diante de Deus, sentar-se com seu cônjuge e dizer o que você fez. Pense em se sentar com seus filhos e contar o que aconteceu. Seus colegas de trabalho, familiares ou membros da igreja. Não vale a pena. Simplesmente não vale a pena. A emoção rápida não compensa os efeitos danosos de longo prazo do adultério.

Os casos não acontecem em um piscar de olhos. Acontecem quando ignoramos os sinais de alerta da tentação e avançamos para a zona de perigo.

Todos nós temos de nos convencer de que pode acontecer. Isso inclui Lisa e a mim também. Se você está andando na ponta dos pés à beira do adultério, pare a relação enquanto ela ainda está nos estágios iniciais. Não passe no escritório dessa pessoa Não corra no bairro uma vez que você sabe que ela pode estar lá fora regando as flores. Não vá à academia quando você sabe que a pessoa estará lá.

A Bíblia diz que devemos fugir da imoralidade sexual. O que significa a palavra *fugir*? Significa cair fora; é isso que significa! Você só precisa se afastar do adultério enquanto ainda é possível.

Perceba a realidade

Digamos que alguém no trabalho tenha chamado sua atenção. Você o vê sempre tentando causar uma boa impressão, sempre bem-vestido, sempre sorrindo, sempre educado, sempre com um bom hálito, dentes brancos, o que for.

Bem, essa pessoa não é seu cônjuge, então você não está vendo o lado dela que não é atraente. Vemos a realidade em nosso cônjuge e em nosso casamento — os pagamentos da hipoteca, consertos do carro, crianças, deveres de casa e todas essas coisas. Então, trata-se de fantasia *versus* realidade.

E é isso que há de tão sinistro no adultério. Todas as pessoas que conheço que cometeram adultério, no final, depararam com o mesmo lixo com o qual não lidaram no casamento. Elas gastam todo esse dinheiro, tempo, energia, criatividade e inovação com outra pessoa quando poderiam ter simplesmente parado e regado o próprio jardim.

A Bíblia diz: "Levamos cativo todo pensamento, para torná-lo obediente a Cristo" (2Coríntios 10:5). Todo pensamento. Você está no Havaí, recém-casado, com sua esposa e vê uma menina? Pare! Você tem de levar esse pensamento cativo. Ou você está casada há quinze anos e conhece esse cara atraente na academia. Delete! Delete!

Delete todo pensamento adúltero antes que ele tome conta de você. Pergunte a si mesmo: "Este pensamento honra a Deus ou não?" Se não honrar, jogue-o fora! Delete! Delete! Delete!

Conecte-se com seu cônjuge regularmente

O esforço intencional de se conectar com seu cônjuge regularmente tem a ver com conversar. Tem a ver com conexão emocional. Tem a ver com conexão física.

Os cônjuges devem se conectar regularmente. Devemos servir um ao outro em todos os sentidos que pudermos imaginar. O relacionamento conjugal é comparado ao relacionamento de Cristo com a igreja. Esse é nosso modelo. É assim que a conexão é santa, pura e incrível.

Uma maneira poderosa de se conectar com seu cônjuge é transformá-lo em seu herói ou heroína. Ele ou ela é a pessoa que você respeita. A pessoa por quem você torce. A pessoa que você admira.

Se você tem um cônjuge que o ama e que está ao seu lado nos momentos bons e ruins, nos momentos difíceis e maravilhosos, nos momentos de pobreza e de riqueza, então esse é seu herói. Um cônjuge como esse merece mais elogios do que qualquer astro do esporte ou figura pública já recebeu.

Você está dando ao seu cônjuge o que ele merece? Você está elogiando seu cônjuge em público? Quando foi a última vez que vocês foram jantar com um grupo de pessoas e você se lembrou, em algum momento durante o jantar, de que precisava contar algo que seu cônjuge fez por você? "Gente, eu preciso contar o que minha mulher fez por mim..."

Esposa, tenha orgulho de seu marido. Os homens gostam de ver o nome deles em destaque. Gostamos de ouvir nosso nome em público. Imagine como seria maravilhoso se nos lembrássemos de elogiar publicamente nossos companheiros.

Sejam o fã nº 1 um do outro. *Isso é* cuidar de si mesmo e de seus interesses, e é isso que faz do casamento um relacionamento maravilhoso que pode manter a proximidade e a intimidade, aconteça o que acontecer. Já discutimos que o casamento não é apenas uma série contínua de entusiasmo e êxtase. É muito mais profundo do que isso. E, ao respeitar seu casamento como o relacionamento mais importante que você tem, você conhecerá a plenitude e a verdadeira intimidade do vínculo feito na aliança que Deus intentou como um presente para nós.

Passos práticos

1. Apresente uma situação em que seu cônjuge foi seu herói. Escreva as características que você mais admira nele e as coisas que você gostaria que outras pessoas soubessem sobre ele.

2. Converse com seu cônjuge e determine sete maneiras pelas quais vocês farão um esforço intencional para entrar em sintonia um com o outro mental, emocional e fisicamente durante a *Sexperiência*.

3. Como você pode iniciar um caso amoroso com seu cônjuge durante a *Sexperiência*? Pense nas coisas que você faria se estivesse tentando conquistá-lo hoje. O que chamaria a atenção dele? O que o deixaria excitado? O que o deixaria indiferente? Preste atenção às necessidades de seu cônjuge, ao que ele gosta e no que ele não gosta, e transforme seu casamento em um verdadeiro caso amoroso durante a *Sexperiência*. Use o que você aprendeu durante a *Sexperiência* para manter a criatividade e a intimidade como componentes constantes de seu casamento.

4. Faça uma lista das coisas que, em sua opinião, são necessidades de seu cônjuge. Peça a ele para fazer o mesmo. Analisem a lista um do outro para que vocês possam ver se estão no caminho certo de se sintonizar nas necessidades um do outro.

5. Discuta com seu cônjuge o que significa para vocês dois seu casamento, que é cuidar de si mesmo e de seus interesses. Como essa compreensão é vista e funciona em seu relacionamento?

Antes de casar

Ao entrarem na aliança do casamento, vocês estão renunciando a si mesmos. É claro que vocês ainda são dois indivíduos. Mas, como cônjuges, vocês têm a responsabilidade a mais de "estar sintonizados" nas necessidades da outra pessoa.

O tempo para iniciar o processo é agora. Prestem atenção e não pressuponham nada. Muitas pessoas pecam por pressupor o que seu cônjuge deseja ou precisa, mas suas percepções podem estar longe da realidade. Quando vocês aprendem a colocar o casamento acima dos desejos e das necessidades individuais, vocês aprendem um dos componentes mais essenciais para a harmonia e a longevidade conjugal.

Agora é a vez de vocês aprenderem um com o outro, de ficarem sintonizados um no outro. A parte do romance é maravilhosa e acrescenta algo picante que é necessário para manter o relacionamento vivo e sadio. Mas o melhor romance surge quando ambos estão em sintonia com as necessidades, as vontades e os desejos um do outro.

Se você sabe alguma coisa sobre jardinagem ou como cuidar do gramado, sabe o que acontece quando negligencia ou ignora seu gramado ou seu jardim, ainda que por pouco tempo. As ervas daninhas começam a crescer e chegam a tomar conta de tudo. A grama fica alta. Logo o jardim não está muito bonito, e você se sente sobrecarregado com a responsabilidade e o esforço necessário para colocar as coisas nos eixos novamente.

Muitas pessoas entram nesse tipo de rotina no casamento. Elas negligenciam as necessidades do cônjuge e nunca desenvolvem a ética de trabalho conjugal. Quando param para dar uma boa olhada em seu casamento, ele está abandonado e tomado por ervas daninhas de raízes profundas.

Seu tempo de noivado é o tempo de preparação, um tempo para aprender a combinar sua vida com a de outra pessoa — para sempre. Falo muito sobre a questão de ter uma ética de trabalho conjugal forte (ETC). Você pode desenvolver uma ética de trabalho pré-conjugal forte antes do casamento, a qual irá ajudá-lo a estabelecer as bases para sintonizar e construir uma forte ETC.

Jugo não é jogo

Ser solteiro significa ter a prerrogativa de se preocupar com as próprias necessidades e desejos. É claro que você se preocupa com amigos, familiares e vizinhos, mas, na verdade, você não precisa se preocupar em colocar as necessidades deles acima das suas. Não na maior parte do tempo, em todo caso.

Se você nunca foi casado, não pode entender o que significa colocar um relacionamento ou outra pessoa em primeiro lugar. Mas, para ajudá-lo a entender, converse com um casal que você conhece, respeita e admira por causa da qualidade do relacionamento que eles têm. Peça aos dois para compartilharem com você como eles fazem esta jornada juntos, aprendendo a cuidar de si mesmos e de seus interesses.

Peça-lhes também para compartilharem, se puderem, alguns dos desafios que encontraram enquanto cuidavam de si mesmos e de seus interesses. Peça-lhes também para contar quais foram as recompensas da parceria de longo prazo no casamento.

Pense no que eles compartilharam com você e, honestamente, pergunte a si mesmo se você está pronto para o tipo de compromisso que o casamento requer. Pense nas qualidades e nos traços de personalidade que você deseja em um cônjuge e como essas características irão ajudá-lo a prestar atenção nas necessidades dele e a cuidar de si mesmo e de seus interesses. Além disso, faça uma lista de seus desejos e suas necessidades para que você possa saber o tipo de pessoa que você precisa que esteja atenta aos seus desejos e às suas necessidades.

Por favor, não cometa o erro de investir tanto tempo se preocupando em como você poderá atrair alguém a ponto de não saber o tipo de pessoa pela qual você se sente atraído. Você merece ter alguém que supra suas necessidades e seus desejos.

O namoro é o momento que você tem para conhecer o tipo de pessoa que se preocupará em satisfazer suas necessidades e o tipo de pessoa cujas necessidades você irá querer satisfazer também.

6
Deixando Luxúria Vegas

Em meu livro *Fatal Distractions* [Distrações fatais], contei a história de uma cobra que meu pai capturou quando eu era menino. Meu pai colocou a cobra em um jarro e a deixou nos fundos de casa. Ele não sabia ao certo se a cobra era venenosa, mas me advertiu: "Ed, não mexa na cobra. Entendeu?" E entrou em casa.

O que você acha que eu fiz? Olhei para aquela cobra e disse: "Cara, esta cobra não é venenosa. Eu já vi todos os programas sobre o assunto." Então, tirei a tampa do jarro. Enquanto isso, todos os meus amigos do bairro tentavam me impedir de ter problemas. "Ed, não faça isso! Não faça isso!"

Eu lhes disse: "Gente, na boa! Eu entendo disso!" Bem, coloquei a mão lá dentro e peguei a cobra. No mesmo instante, eu me tornei "o cara". Todos diziam: "Uau, olha pro Ed! Ele consegue segurar cobras. Esse menino é incrível!"

Eu dizia: "É isso aí! Vocês só precisam conhecer as cobras." Do nada, a cobra começou a se enrolar em meu indicador esquerdo. Tentei me livrar dela, mas ela não se soltava de mim. Fiquei com medo e comecei a gritar e chorar.

Tudo o que posso dizer é: graças a Deus, a serpente não era venenosa. Mesmo tendo sido avisado, eu me coloquei em perigo. Tentei me aproximar e ter intimidade com algo que poderia me atacar.

Às vezes, as coisas que parecem inofensivas podem nos atacar de várias maneiras devastadoras. Como a lascívia, ter pensamentos sexuais ou românticos com alguém que não é seu cônjuge pode parecer inofensivo, porque tudo está em sua cabeça, ou é o que você pensa. Mas a lascívia é como aquela cobra — você pode se aproximar bem dela e ter intimidade com ela por um tempo, mas, no final, e normalmente sem avisar, ela atacará. Mas, ao contrário daquela cobra que me picou quando menino, a lascívia é uma criatura venenosa que pode causar danos terríveis ao casamento. Ao tentar fazer da lascívia um bichinho de estimação, ela morderá você!

Talvez não seja esta a primeira impressão, mas a lascívia pode drenar o tempo e a energia de que você precisa para se aproximar de seu cônjuge. A *Sexperiência* — e, além disso, uma vida sexual íntima e importante dentro do casamento — requer um compromisso de tempo e energia. A lascívia consumirá sua determinação de se envolver em uma semana de sexo com seu cônjuge. Ela arrancará sua motivação de alcançar a intimidade duradoura no casamento por meio da *Sexperiência.*

Algumas esposas que dizem estar muito cansadas ou desinteressadas pelo sexo ainda conseguem reunir forças para cobiçar alguém que veem na televisão, na internet ou no shopping. Se a lascívia está atacando seu casamento e consumindo a intimidade conjugal em sua casa, só há uma coisa a fazer: você precisa sair de "Luxúria Vegas".

As pessoas amam a verdadeira Las Vegas. Algo como 30 milhões de pessoas visitam a cidade todo ano. É um lugar popular. Quase mil voos convergem para a Cidade do Pecado todo dia. As pessoas vão até lá por diversas razões — convenções, casamentos, shows e atrações... Mas Vegas é, na verdade, conhecida pelos jogos.

Li uma vez que 87% das pessoas que visitam Las Vegas jogam enquanto estão lá. Isso é surpresa para você? Alguns dos jogadores são grandes apostadores, mas muitos deles são as senhorinhas que amam os caça-níqueis e os bufês baratos.

Quer esteja jogando em Las Vegas ou em outro lugar na vida, você arrisca algo. Você está tentando vencer as probabilidades e, às vezes, você vence. Mas, em última análise, é a casa que ganha.

Muitos cônjuges estão jogando com o casamento e a família. Neste exato momento, talvez eles estejam vencendo as probabilidades. Contudo, mais cedo ou mais tarde, eles terão de pagar para a casa, *porque a casa sempre ganha.*

O senso comum diz que você nunca deve jogar mais do que aquilo que pode perder. Você está passando o tempo em Luxúria Vegas, jogando com um casamento que não pode perder? Você pode perder seu cônjuge? Sua família? Pense nisso, porque, se você estiver jogando com a lascívia, mais cedo ou mais tarde, a casa — que é o domínio do inimigo — vai ganhar. Sua casa vai perder.

Muitas pessoas gostam de passear por Luxúria Vegas. Elas gostam de fazer passeios físicos, mentais ou emocionais pela lascívia. Quando vão lá, elas jogam os dados, aproveitam todas as oportunidades e tentam vencer a casa com sua sexualidade.

Talvez você esteja preso em Luxúria Vegas e queira sair. Pode ter sido divertido no início, mas agora você está em uma maré de perdas, porque a casa está ganhando a cada rodada! Talvez você tenha ido a Luxúria Vegas e percebido que não é tão interessante quanto o inimigo quer que você acredite. Agora você quer ficar do lado de fora. Talvez você nunca tenha ido à Luxúria Vegas e queira ter certeza de que nunca irá.

Seja qual for sua situação, Lisa e eu estamos empolgados com seu interesse pela *Sexperiência* para que você possa tirar ou afastar seu casamento da mesa de jogo. Se você estiver dando uma volta em Luxúria Vegas, a *Sexperiência* poderá ser o primeiro passo para ajudá-lo a sair e levar seu casamento ao lugar onde Deus gostaria que ele estivesse.

O que a lascívia tem a ver com isso?

Um homem pode perguntar: "Que mal há em pensar em outra mulher desde que eu só tenha relações sexuais com minha esposa?" Ou uma mulher pode perguntar: "Que mal há em fantasiar um pouquinho desde que eu não realize minhas fantasias?" A lascívia frustra o processo de trabalhar para a intimidade no casamento. Você pode pensar que não está fazendo nada de errado, porque seu marido não sabe que, enquanto está fazendo amor com ele, você está, na verdade, pensando naquele cara atraente que trabalha na academia. Mas *você* sabe. Você não pode se entregar 100% para estabelecer e manter a intimidade com seu cônjuge se existirem três pessoas em seu leito conjugal.

O que a lascívia tem a ver com isso? Muita coisa. Jesus disse que se você olhar para alguém com desejo no coração, está cometendo adultério com ela (ver Mateus 5:28). Por quê? Porque é do coração que saem maus pensamentos, assassinato, adultério, imoralidade sexual, roubo, falso testemunho e calúnia (ver Mateus 15:19). Tudo começa no coração.

Jesus estava dizendo que você tem que sair de Luxúria Vegas porque tudo começa com o coração. A qualidade de seu casamento depende muito disto: se você está focado em seu cônjuge ou em fantasias nas quais está com outra pessoa. É por isso que é importante sair de Luxúria Vegas antes de ir para a *Sexperiência*. Este é o momento de estar totalmente voltado para seu cônjuge. Este é o momento em que você deve abrir mão de qualquer outra pessoa que esteja consumindo seu interesse ou sua atenção.

Talvez você esteja preso em uma vida de pensamentos sedutores. Você está arriscando seu casamento por causa de um relacionamento emocionalmente adúltero? O adultério não se limita apenas ao ato físico com alguém que não seja seu cônjuge. O adultério pode ser emocional ou mental também.

Talvez você esteja preso na pornografia. É fácil hoje em dia. Oportunidades para alimentar pensamentos lascivos estão por toda parte. A pornografia está tão próxima quanto o computador em sua casa, e é tão cômoda quanto seu celular. E você não paga para olhar, porque os sites pornográficos contam com "a nova visita" — uma estratégia de vendas que se assemelha ao modo de agir de um traficante de drogas.

O traficante de drogas irá dar a você gratuitamente o que ele tem de melhor em sua primeira vez. Talvez até na segunda. Na terceira, você estará procurando por ele. Ele sabe que você está viciado neste momento, e *é aí* que você tem de pagar. O mesmo acontece com os sites pornográficos. Eles lhe dão muitas das melhores imagens gratuitamente. E, ao se envolver com imagens de corpos perfeitos em todos os tipos de poses e posições acrobáticas, você quer mais. E é aí que você tem de pagar. Mas o dinheiro é apenas parte do custo em questão. Na verdade, é provável que seja o menor preço que você terá que pagar. O preço real que você paga — o preço alto — está na qualidade de seu casamento e dos relacionamentos de sua família.

As oportunidades para ir a Luxúria Vegas são baratas e inúmeras em nossa sociedade, por isso você precisa saber como lidar com as tentações para que possa ficar longe de lá. É por isso que estou lhe dizendo sinceramente que não adiantará nada participar da *Sexperiência* se você estiver dando uma volta em Luxúria Vegas.

Se você estiver lá, quero ajudá-lo a sair. Quando sair, você precisará ir a algum lugar. E Deus quer que você chegue a um destino dinâmico. Tem tudo a ver com sair, mas também tem tudo a ver com um novo lugar. Este é o tema deste livro e deste desafio. Queremos que você descubra um lugar de paixão e propósito com seu cônjuge! Porque esse é o melhor lugar onde vocês podem estar como casados — um com o outro e longe de Luxúria Vegas.

Se você não está em Luxúria Vegas, quero ajudá-lo a ficar longe dessa cidade. Quero falar sobre um rapaz que soube o que fazer quando alguém tentou arrastá-lo para lá. Ele soube como controlar sentimentos lascivos. Esse rapaz, quando foi convidado a entrar pelas portas da cidade, simplesmente optou por ir embora. Ele deixou Luxúria Vegas. Se você ainda não saiu dessa cidade, esperamos que, depois de ler a história dele, você saia dela e fique longe.

Controlando a lascívia

O homem que quero que você conheça e tenha por perto, e como alguém íntimo é José. Não, não é o pai adotivo de Jesus. Este José, cuja história começa em Gênesis 39, é um rapaz realmente incrível.

Deixe-me apresentar a versão da Wikipedia sobre a vida dele. José cresceu em uma família disfuncional. Foi sua família que colocou o "dis" em "funcional". Amo o fato de a Bíblia manter a história como ela é! O pai de José teve várias esposas e concubinas e claramente amou uma esposa mais do que as outras. Ele não teve problema algum em mostrar favoritismo entre seus filhos também. Houve incesto, ciúmes e contendas na família entre as mulheres, entre os irmãos, em todos os lugares.

Jacó, o pai de José, fez tudo o que pôde para mostrar a todos que José era seu filho favorito. Ele era o menino de ouro que era bom demais para realizar as tarefas comuns que seus irmãos tinham de fazer todos os dias. Para mostrar como José era especial, seu pai lhe comprou um casaco Prada, só para mostrar a todos que ele era "o cara". (Tudo bem, na verdade não era um Prada, mas, certamente, se destacava de todas as outras coisas que as pessoas estavam usando na época!)

Esse casaco mostrava o fato de que José era o favorito de seu pai. Seus irmãos ficaram com muito ciúme dele. Você pode culpá-los? Quando acharam que já tinham disputa suficiente na Família Disfuncional, os irmãos tomaram a túnica de José e sujaram parte dela com sangue. Então, eles correram até o pai e disseram: "Pai, uma coisa terrível aconteceu! Um animal selvagem comeu José vivo!"

Eles estavam mentindo, é claro. Na verdade, eles jogaram José em um buraco e pensaram em deixá-lo ali para morrer. Eles reconsideraram o plano e, em vez disso, preferiram vendê-lo a uma caravana ismaelita que passava por ali a caminho do Egito. Os ismaelitas levaram José e venderam-no a um grupo de comerciantes egípcios.

O Egito, para onde José foi vendido, tinha uma cultura de contrastes. As pessoas eram pobres, sujas ou "nadavam no dinheiro". Potifar era um dos egípcios que "nadavam no dinheiro". Ele era chefe da CIA e do FBI egípcios, em outras palavras, um figurão. Potifar viu José — jovem, forte, com aparência de inteligente — e o comprou.

Só por um segundo, coloque-se no lugar de José. Ele deixou rapidamente de ser o filho favorito para se tornar um escravo anônimo. Ele era um menino que havia crescido em um lar esquisito, mas ele amava o Senhor. Suas habilidades como líder foram desenvolvidas ali no meio de seu complexo familiar, que, apesar de ser disfuncional, ensinou-lhe como conduzir uma operação comercial bem-sucedida.

A escravidão de José o lanço em uma cultura pervertida, de imoralidade sexual, incluindo a troca de esposas. Não se trata do tipo de troca que vemos nos *reality shows* na televisão nos quais as esposas trocam de família por algumas semanas. Esses caras trocavam de parceiros sexuais. A imoralidade era boa para eles, porque todos no Egito faziam isso.

Enquanto José estava examinando seu novo ambiente, a mulher de Potifar começou a examiná-lo. Falando em colírio para os olhos... Essa mulher era uma verdadeira boneca; vamos chamá-la de Hotifar. Estamos falando da Miss Egito de 500 a.C. E ela ficava desfilando para José com roupas sensuais e minúsculas. Seu marido havia trazido para casa esse jovem judeu, e ela estava decidida a dormir com ele! Era com essa atitude mental que José estava lidando.

É com isso que muitos casados estão lidando hoje. Eles estão lutando com o princípio de viver na pureza conjugal em meio a uma cultura que diz: "Faça o que quiser, sempre que quiser, como quiser e com quem tiver vontade de fazer." Há muitas oportunidades para as pessoas fazerem exatamente isso. Por incrível que pareça, na internet existem até sites de namoro apenas para casados que querem ter casos.

Em nossa era eletrônica, uma grande quantidade de pessoas casadas está tendo casos pornôs. Alguns cliques do mouse apresentam um espetáculo sem fim de beldades com pouca roupa que não parecem querer outra coisa senão cumprir todos os seus desejos sexuais. Essas mulheres nunca estão cansadas de trabalhar, de voltar para casa do trabalho, de cozinhar, de lavar a louça ou de cuidar das crianças. Elas sempre parecem atraentes e prontas para o sexo. Um homem pode ter uma dessas mulheres em sua mente quantas vezes quiser. Não é preciso trabalho, nem comunicação também. Não há contexto. Não há restrições. Apenas um mar sem fim de beleza com a qual você pode fantasiar. Uma vez que o marido pensa em sexo com essas mulheres, a esposa muito real e viva com quem ele dorme começa a parecer cada vez menos atraente.

Voltemos ao nosso menino José.

Novos níveis, novos demônios

O Senhor abriu as portas para José, embora ele fosse um escravo. Potifar sabia que o Senhor estava com José (ver Gênesis 39:3,4). Como ele poderia saber? José não carregava um rolo grande das Escrituras o tempo todo. Ele não precisava andar por aí, dizendo: "Ei, eu sou um seguidor do Senhor e, se você não se converter, vai queimar no fogo do inferno." Não! Potifar viu que o Senhor tinha dado a José êxito em tudo o que fazia.

Potifar ficou impressionado com o que viu nesse jovem inteligente e especial, e fez de José seu assistente pessoal. Ele confiou tudo o que possuía aos cuidados de José. Embora tecnicamente ainda fosse um escravo, José era "o cara".

A história de José contém outro princípio-chave profundo, além de ser um bom exemplo de como lidar com a luxúria, como veremos mais adiante: quanto maior a bênção, maior a tentação. Quanto maior o favor de Deus e quanto mais perto do seu plano você está, mais o inimigo aumentará as apostas na tentação. Em suma: quando alcançar novos níveis, você enfrentará novos demônios.

Um amigo meu me disse um tempo atrás: "Ed, quando as pessoas estão em uma subida — quando elas estão subindo a escada corporativa, quando estão tentando formar a clientela, quando estão tentando iniciar a empresa, tentando iniciar a igreja —, elas raramente caem no pecado sexual. As pessoas caem no pecado sexual quando chegam ao topo da escada."

Você já subiu uma escada, não é? Quando você está subindo, a queda não é problema, porque seu foco está em chegar ao topo. Uma vez no topo, porém, não há tanto apoio, e você pode facilmente cair.

Precisamos ter muito cuidado quando subimos escadas. Já disseram que dinheiro e poder são os melhores afrodisíacos, por isso, quando Deus abençoar você com uma promoção — mais autoridade, mais dinheiro, mais influência —, mais pessoas irão vê-lo, e muitas delas vão tentar se tornar atraentes para você a fim de chamarem sua atenção. Essas serão as pessoas que não virão com a carga dos problemas conjugais. Elas farão com que seja conveniente e fácil para você dormir na cama errada. Por isso, você precisa estar atento, porque a luxúria pode atacar a qualquer momento, de dia ou de noite.

Ninguém está imune à luxúria. José não estava. Você não está. Eu não estou também. Uma noite, Lisa e eu fomos jantar com alguns amigos em um restaurante em Dallas. Quando estávamos nos preparando para sair, Lisa e esses amigos saíram para pegar o carro enquanto fui rapidamente ao banheiro. Ao sair, tive de passar pela área do bar, que estava fechada. Estando para sair do restaurante, a porta se abriu e, bem ali, diante de mim, estava uma das mulheres mais bonitas e atraentes que já vi na vida. Fiquei atraído por ela. Olhando para ela, pensei: "Inacreditável!"

Agora, deixe-me parar aqui para dizer que não é errado se sentir atraído pelo sexo oposto. Seremos atraídos por pessoas do sexo oposto. Atração e luxúria não são a mesma coisa. Luxúria é a atração levada a outro nível. A luxúria entra em cena quando uma atração passa para um ato sexual ilícito que é mental, visual, emocional ou físico. A luxúria é um desejo dado por Deus (o desejo por sexo) que perde o controle!

Mas, ao atravessar o bar vazio daquele restaurante, deparei com o momento da verdade. Não havia ninguém ao meu redor para dizer: "Ah, lá está Ed Young, pastor da Fellowship Church." Uma vez que ninguém estava me observando, eu tinha uma escolha. Eu poderia me virar, olhar para ela e dizer: "Caramba", e seguir o caminho da luxúria. Ou eu poderia continuar a andar, apertar o botão "Deletar" e cuidar de minha vida.

O que eu fiz? Apertei o botão "Deletar". Eu me mantive no caminho da pureza. Não acerto todas as vezes, mas, pela graça e pelo poder de Deus, aprendi a apertar o botão "Deletar".

José sabia como apertar esse botão também. Mas o problema era que não era ele que estava olhando para uma mulher. O que causou problemas para ele foi que uma mulher estava olhando para ele. Gênesis 39:6 diz que José era bem-desenvolvido e bonito. Na língua hebraica, significa que ele era "torneado, musculoso", e a mulher de seu senhor prestou atenção.

Ter esse "deus grego" por perto o tempo todo estava começando a ser demais para Hotifar, a mulher de Potifar. Ela estava entediada com seu casamento, porque Potifar só pensava em trabalho. Ela disse para José, sem muita sutileza: "Venha para a cama comigo." Ela perdeu o controle e quis transformar sua atração natural pelo sexo oposto em adultério.

Seu casamento está cheio de lustração?

Concentrar sua atenção em uma atração básica que vai além do modo como alguém se parece, do modo como alguém se veste, do cheiro de alguém causa caos; causa a "lustração" conjugal.

"Eu gostaria que meu marido prestasse mais atenção em sua aparência pessoal como Joe."

"Cara, eu queria que minha mulher fosse assim!"

Olhar para alguém com desejo, por fim, leva a comparações e à insatisfação. Leva à lustração — a luxúria causa a frustração de que seu cônjuge não é como a pessoa com quem você está fantasiando. A verdade é que até o objeto de suas fantasias não é, na verdade, assim. Depois que essas pessoas deixam o brilho das luzes das câmeras que vendem para você belas fantasias, elas vão para casa a fim de levar uma vida normal — elas levam o lixo para fora, lavam louça, brigam com os familiares, pegam as crianças na creche.

O marido que fica fantasiando aquela gata que viu na internet não está, na verdade, fazendo amor com sua esposa durante o ato sexual. De modo contrário, uma mulher não se sentirá motivada a ter intimidade com o marido se estiver pensando no cara que a elogia todo dia. Ele percebe quando ela usa uma roupa nova para trabalhar. Ele até percebe quando ela está usando um perfume diferente.

Hotifar estava sofrendo de lustração conjugal, mas José não chegaria lá com ela. "Meu senhor não se preocupa com coisa alguma de sua casa, e tudo o que tem deixou aos meus cuidados" (Gênesis 39:8). José entendia o conceito de administração. Ele não precisava do sétimo mandamento ("Não adulterarás") para saber que dormir com a mulher de seu chefe simplesmente não estava certo.

O que acontece em Luxúria Vegas (nunca) fica em Luxúria Vegas

Se você sair à toa em Luxúria Vegas por algum tempo, mais cedo ou mais tarde, sentimentos lascivos levarão à ação. Lembre-se de que Jesus disse que tudo começa no coração.

A realidade é que o que acontece em Luxúria Vegas nunca fica lá. A luxúria não ficará só em sua cabeça. Ela é como um câncer que, se não for controlado, aumentará e se espalhará. Mais cedo ou mais tarde, o pensamento, a cobiça e a imaginação levarão ao ato. A luxúria terá controle sobre você, em vez de você controlar seus sentimentos de lascívia. O pensamento lascivo ocasional pode inchar e se transformar em uma obsessão que, mais tarde, inclui fantasias e masturbação, e talvez até um caso real. Todos esses pensamentos e comportamentos abrem uma brecha entre você e seu cônjuge que impede a intimidade.

Muitas esposas, se queixam do vício do marido pela pornografia na internet. Isso pode ser devastador. A disponibilidade da pornografia é infinita e está sempre ao nosso alcance — 24 horas por dia, sete dias por semana e 365 dias por ano. As mulheres sentem-se tão violentadas pelo vício da pornografia quanto por um caso real — talvez mais. "Eu posso lutar contra outra mulher que se coloca entre mim e meu marido", muitas mulheres dizem. "Mas como posso lutar contra algo que nem é real, mas está destruindo meu casamento?"

Administre bem o sexo

A *Sexperiência* abre a porta para a boa administração sexual. Administração é simplesmente o modo como gerimos as coisas que Deus nos deu. Nenhum de nós é dono de qualquer coisa que tem na vida — nosso tempo, nosso talento ou nosso tesouro. Todos nós recebemos essas coisas de Deus para as gerenciarmos. Isso inclui nossa sexualidade.

Você talvez esteja se perguntando como poderia ser um bom administrador na área do sexo. É assim: todos nós temos habilidades e aptidões especiais para serem usadas enquanto estamos aqui na Terra. Todos nós somos apenas administradores e, um dia, teremos que prestar contas do modo como tratamos os recursos que Deus nos deu. Deus nos deu dons especiais, e ele quer que os devolvamos a ele em sua forma mais perfeita como um ato de adoração.

Nossa sexualidade é uma dádiva de Deus, e devemos administrá-la como qualquer outra dádiva que ele nos deu. No entanto, o sexo é especial visto que tem muitos aspectos e muitas dimensões! Deus quer de nós grandeza na área sexual. Essa ideia surpreendeu você? É desígnio de Deus. Ponto. Honrar o projeto de Deus para a intimidade sexual — um homem e uma mulher dentro das diretrizes e cercas de proteção do casamento — é administrar bem o sexo. Como um bom administrador da dádiva de Deus que é a intimidade sexual, você não permitirá que a luxúria ultrapasse as cercas de proteção de seu casamento e ameacem o vínculo que você tem com seu cônjuge.

José entendia o conceito de administração, mesmo quando Hotifar tentava fisgá-lo, dia após dia (ver Gênesis 39:10), de fato. Ela derrubou todas as cercas de proteção em torno de seu leito matrimonial e saiu em uma busca ardente e constante por José. Os estudiosos da Bíblia irão dizer-lhe que a mulher de Potifar tentou José por cerca de dez anos. Ela era implacável. Ela não desistiria de sua marcação cerrada.

Mas José respeitou a beleza do casamento de Hotifar, mesmo quando ela não fez isso. Ele se recusou a ir para a cama com ela, apesar da insistência da mulher. Ele disse não. Todo dia. Durante dez anos. Uma mulher linda de morrer ficou atrás dele todo santo dia por dez anos. E em todas as vezes ele disse não.

Era por que ele era um rapaz super-humano, superdisciplinado? Às vezes, queremos pensar que as pessoas na Bíblia são, de algum modo, dotadas de uma medida extra de força e coragem. José foi um homem, um ser humano. Ele pôde dizer não por causa de algo melhor — a graça, o poder e o melhor do Senhor. Deus lhe deu força... todos os dias... por dez anos. Ele se recusou até mesmo a estar com ela. Mesmo hoje, a estratégia de José ainda é uma grande estratégia para ficarmos longe de Luxúria Vegas.

Desenvolva uma estratégia proativa

A estratégia de José para ficar longe de Luxúria Vegas era simplesmente ficar longe da esposa de seu chefe. Ele fugiu! Você também precisa de uma estratégia para lidar com a luxúria, porque ela pode vir para cima quando você menos espera. Seja proativo para mantê-la nas rédeas antes que ela assuma o controle. A luxúria não joga limpo. Se você não for proativo, mais cedo ou mais tarde, ela vai querer assumir o controle e começar a manipular você, seus pensamentos e suas ações.

Como a luxúria descontrolada, o adultério normalmente começa aos poucos e de modo metódico. Ele segue um caminho previsível. Há uma antiga lenda popular que diz que se você jogar um sapo em uma panela de água fervente, ele pulará para fora no mesmo instante. Mas, se você colocá-lo na água em temperatura ambiente e for aumentando a intensidade do fogo, ele cozinhará até morrer porque não vai perceber quando a água ficar muito quente. A maioria dos casos extraconjugais assume a forma desse sapo na água — acontece aos poucos. E, quando o calor aumenta, você descobre que foi longe demais e não pode ficar longe da Luxúria Vegas.

O adultério acontece com frequência no local de trabalho, e não é de admirar por quê. Você começa a passar um pouco mais de tempo com um colega de trabalho atraente. Você espera ansiosamente por aqueles almoços longos e demorados com ele. De alguma maneira, sua conversa passa para a vida pessoal. Ele começa a compartilhar coisas sobre suas frustrações conjugais. Você pode até levá-lo mentalmente para sua cama enquanto está fazendo amor com seu marido. Você imagina que é ele que a está tocando, cuidando de você, beijando-a. E, não importa se seu marido está investindo o que tem de melhor, isso não é bom o suficiente porque você está com a mente no cara do trabalho.

É por isso que você simplesmente não pode brincar com a luxúria, assim como eu não pude brincar com a cobra quando era menino. Fui picado. Se você for a Luxúria Vegas para jogar dados e fazer uma aposta, tentando vencer a casa, você perderá *toda vez*. Só há uma coisa que você pode fazer quando a tentação sexual aparecer em seu caminho. Sua única opção é deixar Luxúria Vegas.

José não permitiu que a luxúria tivesse influência em sua vida. Ele era um homem que seguia ao Senhor. Ele tinha muitas qualidades maravilhosas: era um rapaz rígido, um líder, um cara que saiu do poço e chegou ao ápice. Ele venceu na vida, a despeito das adversidades.

Imagine o que poderia ter acontecido se ele tivesse aceitado a oferta de Hotifar. A luxúria diz: "Você pode fazer isso só desta vez e ninguém vai saber." Mas a luxúria sempre mente. A luxúria diz que ninguém vai descobrir. A luxúria diz que um caso seria bom para seu casamento. A luxúria diz que se você não tiver um caso, provavelmente acabará se divorciando.

Isso é só o inimigo falando com você. Ele sempre quer desviar nossa atenção para que não desfrutemos do melhor de Deus. O Maligno queria enganar José para que o rapaz perdesse o que Deus tinha de melhor para sua vida. Mas Deus usou os convites de Hotifar para que fossem a Luxúria Vegas como uma oportunidade para fortalecer José, para prová-lo a fim de que ele pudesse sair mais forte e melhor.

José estava dando o melhor de si. Ele manteve a guarda contra a luxúria. Quando ela o pegou pela capa e disse: "Venha para a cama comigo!", ela estava dizendo: "Vamos transar agora." Ela queria que seu convite parecesse que eles poderiam ter um encontro secreto rápido e fácil, de modo que seu marido nunca saberia, mas José foi sábio o suficiente para não chegar a esse ponto.

Se você tentar acariciar a luxúria, no final, ela irá mordê-lo. Ela continuará a insistir e não desistirá, assim como a cobra que me picou quando eu era menino. A luxúria não é algo com que você pode brincar. Aquela coisa que você procura como liberdade sexual, no final, irá prendê-lo, porque a luxúria, sendo o que é, irá mordê-lo, por mais que você tente lidar com ela com cuidado, por mais perspicaz que você seja ao escolhê-la. A luxúria não pode deixar de fazer o que faz.

Em *Great Divorce* [O grande divórcio], o autor C. S. Lewis conta uma grande história alegórica sobre o espírito de um homem afligido pela luxúria, representada por um lagarto vermelho que fica no ombro do homem e sussurra em seu ouvido de modo convincente. O homem, por fim, começa a se desesperar com o lagarto. Nesse momento em que um anjo se oferece para matar o animal para ele. Mas o homem está dividido quanto ao que fazer. O homem teme que a morte da luxúria o mate também e dá desculpas ao anjo para continuar com o lagarto. Finalmente, o homem permite que o anjo capture e mate o lagarto. O anjo agarra o réptil, quebra seu pescoço e o joga no chão. Então, o homem é gloriosamente transformado em um ser real e genuíno, enquanto o lagarto, em vez de morrer, é transformado em um forte cavalo. Chorando de alegria, o homem sobe no animal e ambos voam para os céus.

Como podemos acabar com o lagarto da luxúria? Fazemos o que José fez. Quando Hotifar o convidou para fazer sexo com ela, José correu para fora da casa. Ele se retirou da situação. Ele deixou Luxúria Vegas.

Saque sua arma

Se você quiser ter o tipo de casamento que a *Sexperiência* convida a ter, precisa tirar a luxúria da mesa. Não há lugar para ela no contexto do casamento, por isso precisamos evitá-la em todas as tentações que enfrentamos. E nunca ficamos tão fortes em nossa fé ou em nosso casamento de modo que a atração de luxúria não seja mais um problema. O inimigo está sempre tentando encontrar maneiras de acertar você em seu ponto mais fraco.

O Maligno tem um plano personalizado para desviar cada um de nós do que é certo. O que vai me desviar não será nem uma tentação para você. Uma pessoa pode ser levada por um belo corpo em um biquíni fio dental. Outra pode ser levada pela inocência sincera e vulnerabilidade de outra pessoa. Um homem pode ser atraído por uma mulher que talvez seja mais agradecida do que sua esposa pelas coisas que ele faz por ela.

Mas, independente daquilo que o inimigo tenha imaginado para destruir seu casamento, ele só quer confundir você e tirá-lo do caminho da administração correta do sexo. Por isso, todos nós precisamos estar atentos... em todos os momentos... contra a tentação sexual.

Muitas vezes, quando vemos a tentação sexual mencionada na Bíblia, ela frequentemente está associada à palavra *fugir* ou a Deus pedindo que nos retiremos do encontro tentador. Assim percebemos que a tentação sexual é poderosa, tem muitos aspectos e muitas dimensões.

O que você faz quando está diante da tentação sexual? O que você faz quando a mulher de Potifar diz: "Venha para a cama comigo, faça amor comigo"? Você precisa evitar o mal. Você saca sua "arma" e foge.

Para a maioria de nós, a tentação virá por meio de nossas relações do dia a dia. As pessoas normalmente cometem adultério com amigos — um atraente colega de trabalho do escritório ou um vizinho com quem você topa com frequência. Você encontra razões para passar tempo com essa pessoa — almoços no trabalho ou longas conversas enquanto vocês fazem uma caminhada pelo bairro. Você começa a dar desculpas para ver essa pessoa.

O caso aos poucos começa a tomar forma e se intensificar. Então, você começa a compartilhar coisas que não deveria com essa pessoa — sentimentos, problemas conjugais e fragilidades. Logo vocês desenvolvem um vínculo emocional. Então é só uma questão de tempo para que você esteja na cama com ela.

É por isso que você precisa ter muito cuidado com quem são seus amigos. Eles precisam ter a mesma profundidade no compromisso conjugal, a mesma dedicação à pureza que você tem com seu cônjuge.

Tenha muito cuidado com o modo como você se relaciona com o cônjuge de seus amigos. Nunca fique junto com um deles sem que esse amigo esteja presente ou esteja dentro do contexto de sua amizade. Se você isolar a amizade com o cônjuge do amigo e começar a dividir informações e sentimentos que não deve, você estará brincando com fogo. Você não pode brincar com a luxúria. Lembre-se de que, se jogar os dados e apostar na luxúria, esperando poder vencer a casa, você vai perder toda vez.

Existe uma Hotifar em sua vida? A luxúria tem atraído você à sua armadilha? O que é essa entidade, esse site ou esse clube que está dizendo a você: "Ei, vamos lá. Afinal, o que acontece em Luxúria Vegas fica em Luxúria Vegas." Seja quem for, seja o que for, você precisa fugir. Resista ao diabo, e ele fugirá de você (ver Tiago 4:7).

Nunca é tarde demais para sair

Um tempo atrás algo estranho aconteceu comigo. Como pastor, conheço pessoas interessantes o tempo todo. Mas foi algo que me mostrou que nunca é tarde demais para sair de Luxúria Vegas.

Certo dia, minha secretária recebeu um telefonema do produtor de um programa de televisão popular. Ele havia visto nosso programa de televisão e ficou interessado em um dos sermões que preguei sobre sexo.

Quando peguei o telefone, ele disse: "Ei, Ed, eu achei fascinante seu jeito de falar tão abertamente sobre sexo na igreja. Eu nunca vi um pregador fazer isso antes."

Então, ele disse algo que me pegou desprevenido: "Eu queria saber se você consideraria a possibilidade de vir ao nosso programa. E queremos que você fale sobre sexo com uma estrela de filmes pronográficos. Eu quero que você dê sua opinião sobre o que a Bíblia diz a respeito de sexo e sexualidade. E, em seguida, ela quer dar a você a opinião dela, e ela tem uma opinião forte a respeito, sobre ela e sua vida na indústria de filmes adultos. Queremos levá-la à sua igreja, e que vocês se sentem e tenham esta conversa aberta e honesta."

Bem, vi isso como uma oportunidade de compartilhar o plano de Deus para o sexo e o casamento com alguém que, obviamente, não compartilhava a mesma visão. Era uma grande oportunidade de ajudar alguém que vive em Luxúria Vegas a ver que há um plano maior por aí. Então, depois de falar com Lisa e alguns amigos íntimos, decidi aproveitar a oportunidade.

No final daquela semana, eu estava em nossa igreja com câmeras por todo lado e vi quando entrou essa jovem, que tem quase a mesma idade de nossa filha mais velha. E eu vi seu namorado/agente, que era um astro pornô, bem ali com ela e toda aquela algazarra com a limusine à espera lá na frente. Ela entrou, e nós nos sentamos. E, quando começamos a falar, o produtor interrompeu e disse: "Desculpe, Ed, mas eu tenho que lhe perguntar isso. O que você pensou quando soube que uma atriz pornô viria à sua igreja?"

Respondi: "Essa é fácil. Eu fiquei pensando: Não é ótimo termos uma igreja que está aberta para todos? Não é ótimo ter um lugar onde qualquer pessoa possa aparecer, mesmo que seja uma estrela de filmes adultos, e ouvir o plano de Deus para a vida, para o casamento, para o sexo?"

E, durante a próxima hora, tive a oportunidade de conversar com essa garota sobre a realidade da indústria pornográfica, o que Deus tem a dizer sobre sexo e casamento e como, aconteça o que acontecer, Deus tem um plano para as pessoas. E ele pode ajudar as pessoas a saírem de Luxúria Vegas.

Então, ela começou a me dar os motivos e os argumentos que explicavam por que ela estava na indústria de filmes pornô. Ela disse: "Bem, eu ajudo os casamentos. Eu ajudo a apimentar a vida sexual dos casados. E eu não estou prejudicando ninguém. Gosto de correr riscos. Gosto de andar na beira do abismo. Faço qualquer coisa. E estou ganhando quantias exorbitantes de dinheiro. E é isso que eu faço."

E, então, ela começou a dizer: "Como você pode acreditar na Bíblia? Quero dizer, a Bíblia foi escrita por homens. Como você pode dizer que é a Palavra de Deus? Eu não tenho certeza de que Jesus é o filho de Deus."

E ela começou a disparar perguntas como essa, e eu comecei a falar sobre o que a Bíblia diz sobre algumas dessas questões. Eu disse: "Quer saber? Você pode fazer qualquer pergunta que tiver. Deus é maior que sua dúvida, maior que sua pergunta, maior que qualquer coisa que você queira jogar nele. Então, pode perguntar."

Durante a conversa, eu pude perceber que ela estava procurando algo. Eu lhe disse: "Aqui está a verdadeira questão: você pode seguir o caminho que está seguindo, e eu posso lhe dizer o que vai acontecer com você com uma precisão impressionante ao longo dos próximos anos. Ou você pode fazer as coisas do jeito de Cristo.

"Basicamente, o que você está fazendo, o que a indústria pornográfica está fazendo, é tirar o sexo de seu contexto. Você está pegando um dom dado por Deus e usando-o de uma maneira proibida por Deus.

"Quando alguém vê material pornográfico ou assiste a um filme adulto, está tirando a humanidade das pessoas a quem estão assistindo em atos sexuais enquanto tiram de si mesmas sua humanidade. Mas não somos animais! Deus não quer que nossa vida seja vivida assim. Não somos cachorros; somos seres humanos. Fomos feitos à imagem de Deus. E Deus quer que usemos o sexo do seu jeito."

Depois de falar com ela por cerca de uma hora, eu podia dizer que ela estava, de fato, lutando contra seu estilo de vida e as coisas que estava fazendo. Ela se sentia presa em sua própria Luxúria Vegas.

Eu lhe disse: "Você sabe por que está aqui? Não estamos aqui para fazer um programa de televisão. Claro, será um programa algum dia. Mas você sabe por que realmente está aqui? Você está aqui porque Deus a trouxe. Você está aqui para ouvir a verdade de Deus."

Ela disse: "Você está me dizendo que eu tenho que sair da indústria de filmes adultos?"

Respondi: "Você sabe o que estou lhe dizendo? Estou lhe dizendo para entregar toda sua vida a Jesus, porque ele tem o melhor plano para você. É claro que você está à procura dele. E as Escrituras dizem que, quando você o procurar, ele se revelará a você. Se você entregar sua vida a ele, ele cuidará das demais coisas. E, sim, ele irá tirá-la dessa indústria, de Luxúria Vegas. Não estou dizendo hoje que, se você fizer uma oração — *boom!* —, tudo ficará ótimo. Mas estou dizendo que se você quiser o melhor, se quiser descobrir como Deus é bom, então entregue tudo a ele."

E, quando essa moça se levantou para sair, com lágrimas escorrendo pelo rosto, era óbvio que Deus estava trabalhando em seu coração. E, quando saiu da igreja, ela se virou para o namorado, que havia ficado na indústria pornográfica por um longo tempo, e nós a ouvimos perguntar: "E se ele estiver certo?" E eu acredito que, enquanto ela continuar a buscar a Deus, ele ajudará essa menina a sair de Luxúria Vegas.

Nunca é tarde demais para deixar Luxúria Vegas. Não importa onde você esteja neste exato momento; Deus pode ajudá-lo a sair desse lugar e descobrir um lugar de propósito e paixão, um lugar de verdadeira intimidade com seu cônjuge.

Passos práticos

1. Faça uma avaliação aberta e honesta de si mesmo antes de iniciar a *Sexperiência*. Você está vivendo em Luxúria Vegas ou visita a cidade de vez em quando? Pense em como a luxúria tem impedido a intimidade em seu casamento. Se isso tem acontecido, use o tempo que você normalmente usaria para andar por Luxúria Vegas para pensar em como agradar sexualmente ao seu cônjuge.

2. Pense em como você considera a questão da luxúria. Observe maneiras pelas quais você talvez esteja permitindo que ela se infiltre em seu casamento — televisão, filmes, revistas, internet...

3. Arrume suas malas e saia de Luxúria Vegas! Livre-se de tudo o que irá tentá-lo — filmes, revistas, fotos etc. Coloque um filtro em seu navegador da internet para restringir o acesso a determinados sites. Pegue as distrações que impedem a intimidade dentro de seu casamento e jogue-as fora.

4. Antes de começar a *Sexperiência*, você e seu cônjuge deveriam passar um tempo flertando, sendo românticos e desenvolvendo seu desejo de um pelo outro, sem se envolverem sexualmente. Então, quando vocês começarem sua semana de sexo, o foco de cada um estará no cônjuge.

5. Pense nas necessidades de seu cônjuge. O que o deixa excitado? O que o anima? Dedique um tempo de preparação antes da *Sexperiência* para se concentrar nas necessidades de seu cônjuge e em como você quer fazer amor com ele.

Antes de casar

Antes de fazer os votos é uma boa hora para avaliar se você está se envolvendo em comportamentos ou padrões mentais que serão empecilhos para que vocês desenvolvam intimidade e proximidade quando forem casados. Se você estiver dando uma volta em Luxúria Vegas, precisa sair agora, se quiser que haja alguma esperança para seu casamento.

Uma mulher ligou para um programa de rádio e reclamou que o marido gostava de visitar clubes de *strip-tease*. O comentário do DJ sobre a situação dela foi que o marido deveria ter permissão para continuar a fazer o que ele fazia antes de eles se casarem. É esse tipo de conselho esquisito que casamentos com problemas recebem nos Estados Unidos. (E, como era de se esperar, o DJ era solteiro.)

Você provavelmente tem a expectativa de que a pessoa com quem está prestes a se casar será totalmente dedicada a você. Você deve desejar isso, mas também deve ser capaz de dar isso à pessoa com quem vai se casar. Você se prepara para o casamento ao tornar-se a melhor pessoa que pode ser, antes de fazer seus votos.

O noivado é o momento de se preparar para o casamento. Se você acha que não há problema algum em dar uma volta em Luxúria Vegas porque você ainda não fez seus votos, por favor, pense nesta lógica por um momento. Você não poderá abandonar automaticamente esse tipo de comportamento uma vez que estiver casado. Se você estiver em Luxúria Vegas, seja em revistas, filmes ou na internet, o tempo para sair de lá é agora, para que você possa fazer seus votos, entregando-se totalmente ao seu casamento.

Jugo não é jogo

Você está pensando que pode fazer o que quer porque é solteiro e não está em um relacionamento que pode levar ao casamento? Se está pensando assim, por favor, pare aí mesmo.

Se você estiver passeando em Luxúria Vegas, acreditando que não há problema algum, desde que não esteja realmente fazendo sexo, pense em como você poderia ser muito mais produtivo se investisse esse tempo e essa energia em algo piedoso, algo positivo. Não estou dizendo que você tem que ler a Bíblia 24 horas, todo dia, mas estou dizendo que você precisa ser proativo para manter seu coração e sua mente fora de Luxúria Vegas.

Mas, na verdade, ler a Bíblia é um ótimo ponto de partida para quando você estiver tentando sair de Luxúria Vegas. A Palavra de Deus é uma ferramenta maravilhosa para fortalecer corpo, mente e espírito. Ler uma versão contemporânea pode ajudá-lo a entender melhor a sabedoria de Deus e aplicá-la à sua vida e às suas decisões de namoro.

É difícil, se não impossível, conhecer os pensamentos e os comportamentos secretos de alguém. Ore e peça a Deus para dar-lhe sabedoria e discernimento sobre as pessoas com quem você namora. Então, não ignore a verdade que ele lhe revela sobre alguém por quem você está interessado ou com quem esteja namorando. Seja sábio o suficiente para olhar além de um rosto bonito, um corpo musculoso ou uma boa renda, e veja a pessoa que Deus revela.

7
Fundos de investimento não são nada

Enquanto eu estava em uma *pet shop* procurando por um tipo específico de coleira para cachorro, uma mulher com cerca de cinquenta anos puxou conversa comigo sobre tipos diferentes de coleira.

Após termos falado por alguns minutos, ela perguntou:

— O que você faz?

— Sou pastor.

— Mesmo? — ela disse. — Não sou religiosa.

Respondi:

— Eu também não. Eu tenho um relacionamento com Jesus, mas não sou religioso.

Então, ela perguntou:

— Sobre o que você fala em sua missa ou o que você faz?

— Recentemente venho falando sobre divórcio — eu disse.

Quando eu disse isso, ela fechou a cara e falou:

— Divórcio? Isso vai ____ sua vida. — Ela acrescentou: — Eu deixei meu marido dez anos atrás e alguém deveria ter pegado minha ____ e me amarrado a uma árvore e batido minha ____.

Eu podia sentir sua dor mesmo que tivesse se passado uma década da separação entre ela e o marido, e eu experimentei um pouco do veneno nas palavras que ela escolheu.

Ela disse ainda mais:

— Minha filha me chamou uns dias atrás e disse: "Mãe, nossa família não é normal. Você está aqui, papai está lá. Está tudo completamente bagunçado."

Então, olhou para mim e acrescentou:

— Sabe o que mais? Minha filha estava certa. Quando você falar sobre divórcio, diga às pessoas que a grama do vizinho nunca é mais verde. E diga a esses maridos e a essas mulheres que olhem para além do agora!

Uau! Que palavras poderosas sobre casamento vindas de alguém que não está é reliosa ou frquenta a igreja.

Depois de comprar a coleira, comecei a pensar: "O que aconteceria se aquela senhora pudesse voltar dez anos em seu casamento? E se ela pudesse voltar para os últimos momentos antes de colocar a mão na maçaneta para sair do casamento? E se ela pudesse voltar atrás e entender o que a puxou pela porta do divórcio?"

É interessante para mim o fato de que, apesar de a filha daquela mulher já ser adulta, ela ainda é afetada negativamente pelo divórcio dos pais. Quando um casamento se rompe, isso afeta os cônjuges, mas a devastação alcança muitos outros: amigos, vizinhos, membros da igreja, pais, parentes, mas especialmente filhos e netos.

Queremos ajudar o maior número possível de pessoas a evitar o tipo de dor que essa mulher e sua família têm experimentado, e encaminhá-las para o dinâmico plano de Deus! É por isso que Lisa e eu estamos promovendo a *Sexperiência*. Talvez se aquela mulher e seu marido tivessem aceitado a *Sexperiência* onze anos antes de eu ter tido essa conversa com ela, eles poderiam ter descartado a opção do divórcio e se aproximado um do outro. Sua família poderia ter permanecido intacta em lugar de ser despedaçada como falou a filha. Se eles tivessem tido uma *Sexperiência*, talvez pudessem ter deixado aos filhos um legado que inclui perdão, reconciliação e intimidade, em vez de feridas e remorso.

Qual é a profundidade das marcas que você deixa?

Como pais responsáveis, Lisa e eu temos guardado dinheiro para nossos filhos caso venhamos a morrer. Mas tão importante quanto garantir seu futuro bem-estar financeiro é também deixar para eles algo ainda maior. Cremos que o maior legado que deixamos para nossos filhos não é nossa conta bancária ou uma apólice de seguro ou mesmo nosso ministério de alcance mundial. A maior marca que deixamos em nossa família é o modelo de um sólido alicerce para o casamento.

Muito tempo depois de nossos filhos crescerem e nos deixarem, eles irão se lembrar de que seus pais têm um relacionamento amoroso que inclui intimidade física. Nosso casamento será o modelo pelo qual eles estabelecerão o padrão para a escolha do companheiro de sua vida. Essa é a mais profunda marca que podemos deixar para o futuro dos filhos.

A maioria das pessoas quer deixar suas marcas no mundo. Elas querem fazer a diferença na vida daqueles que estão a seu redor. E tentam de tudo para fazer isso: de estabelecer uma sólida carteira de investimentos para o futuro dos filhos a investir tempo na comunidade a fim de assegurar que a sociedade se recorde delas.

Mas uma das melhores maneiras de estabelecer um legado é ter uma excelente vida sexual no casamento. Como é o sexo no casamento, assim é o restante do casamento. Como é o casamento, assim é a família. Como é a família, assim é a sociedade. Não há maior presente que você possa dar à próxima geração ou à sociedade em geral do que o modelo de um casamento sólido e duradouro.

Por que o sexo é um fator tão importante para o bom resultado da equação marital? Pesquisas têm mostrado que casais com uma vida sexual intensa têm um casamento mais sólido e uma realização mais plena. Satisfação matrimonial e satisfação sexual estão indissoluvelmente conectadas.

Esse tipo de realização não é o que geralmente acontece. Quando ela ocorre no casamento, normalmente é porque ambos os cônjuges dão passos específicos para garantir a estabilidade, a intimidade e a realização conjugais. Há alguns fatores a considerar quando você inicia a *Sexperiência* que o levarão para além da satisfação atual. Aqui estão as chaves para destrancar as portas da maior intimidade no casamento e do influente legado para seus filhos.

Seja um "pai diretor executivo"

Nosso país tem sido abalado por escândalos empresariais. Eles nem mesmo chocam mais. Uma após outra, empresas de bilhões de dólares têm quebrado e feito com que muitas vidas inocentes entrem em colapso junto com elas.

Por fora, essas empresas parecem ser ótimas, com belos prédios e relatórios anuais brilhantes. Por dentro, no entanto, estão crivadas de mentira, ganância e corrupção. De empresas de tecnologias a de equipamentos para energia, todas as que faliram tinham algo em comum: foram lideradas por diretores executivos que não podiam ter sido os chefes da corporação.

Quando essas empresas vão à falência, vidas são devastadas junto com elas. Pessoas perdem todas as economias e tudo o que investiram. Elas haviam planejado um futuro seguro e economizaram para isso, mas, por causa da irresponsabilidade empresarial, ficaram sem um legado financeiro.

Mas, por piores que sejam os grandes escândalos — Enron, WordCom, Madoff Investiment Securities—, há um ainda maior, que está devastando famílias por todo o país. Estou falando do escândalo na estrutura corporativa da família.

O escândalo da família ocorre quando o obstetra dá um tapa no bumbum de seu filho e você ouve o primeiro choro de seu recém-nascido. Quando isso ocorre, o bebê olha para a confortável cadeira da presidência da corporação familiar e diz: "Essa vai ser uma aquisição hostil."*

Imediatamente após o primeiro filho nascer, os pais se permitem ser transferidos das posições de executivo para a posição do pessoal de suporte. Os filhos são promovidos do papel de equipe de suporte para a posição de executivos. Uma vez que eles se tornam diretores executivos, uma vez que seu pequeno traseiro sente o couro daquela cadeira no escritório principal, uma vez que eles olham a paisagem, uma vez que eles voam no avião da empresa e uma vez que experimentam as festas e as regalias, os pais não estão mais no controle. É uma aquisição hostil.

Como isso afeta o legado que você deixa para seus filhos? Em muitas famílias, os filhos é que estão comandando o espetáculo. Nós fazemos piada sobre crianças ditando as regras; mas isso não é divertido, porque os efeitos não são bons.

Quando crianças dirigem os negócios da família e se tornam o foco principal do casamento, é como colocá-lo no balão de oxigênio. O relacionamento vai se sustentar enquanto os dois cônjuges estiverem plugados nos filhos. Mas o que acontece quando eles saem de casa? Assim, muitos casamentos terminam quando os filhos crescem e se vão, pois marido e mulher falharam em construir um relacionamento um com o outro. Aqueles com quem estabeleceram o relacionamento

---

* Uma aquisição hostil (ou tentativa de) ocorre quando uma empresa lança uma oferta para a compra de outra mesmo que esta não tenha interesse em ser adquirida. (N.T.)

agora se foram. O que é pior, foram sem ter um legado de casamento amoroso e duradouro.

Se os filhos estão tomando as rédeas em seu casamento porque fizeram uma aquisição hostil, vocês precisam retomar o comando, começando com sua semana da *Sexperiência*. Como pais, vocês precisam assumir o controle: voltar para o escritório central, sentar-se e comandar o espetáculo, falar a verdade em amor.

Pais têm que ser pais. É responsabilidade deles moldar a visão para a família. E, para fazer isso, é preciso ter o casamento como a mais importante prioridade da família.

Por que há muitas crianças comandando as coisas em casa por todo o país? Isso ocorre basicamente porque somos todos egoístas. Todos temos esse desejo de controlar, e as crianças o manifestam notavelmente muito cedo.

Mas outra razão pela qual muitos pais conduzem os filhos para o papel de diretor executivo é porque estão alheios. Eles não querem se sujar com isso. Pais querem ganhar o troféu de Pais do Ano e, ao mesmo tempo, evitam a todo custo as responsabilidades.

Além disso, muitos pais hoje estão tentando ser amigos dos filhos em lugar de pais. Mas crianças precisam da estrutura e da estabilidade daqueles que estão no comando. Crianças se queixam quando as coisas não são do jeito delas, mas a verdade é que sentem muito conforto quando sabem que alguém mais velho e mais sábio está com as rédeas na mão.

Alguns pais permitem que os filhos comandem porque acreditam no que a cultura diz: que crianças que retrucam e manipulam os pais são fofinhas. Elas até se tornam famosas por fazerem isso na televisão.

Mas a maior mentira de nossa cultura é que as crianças são o núcleo da célula familiar. Isso é ridículo, não é bíblico e é totalmente errado.

O casamento é o núcleo da célula familiar. Se você conhece alguma coisa de ciência e de biologia, sabe que o núcleo é o que dá à célula a habilidade de se relacionar com outras células. O mesmo é verdade na casa em que os pais são os diretores.

Muitos pais estão perdendo a satisfação conjugal porque os filhos estão mandando no pedaço. Papai e mamãe estão correndo tanto que não têm tempo nem energia para fazer amor.

Em um artigo da revista Newsweek, de junho de 2003, sobre casamentos em que não há sexo, uma mãe chamada Ann, uma advogada com 39 anos e dois filhos, partilhou a frustração que muitos pais têm. No início do casamento, ela e o marido faziam sexo quase todos os dias. Tudo mudou depois que a filha nasceu.

Quando a menina tinha cinco anos, começou a ir para a cama dos pais todas as noites. Logo depois, o cachorro começou a choramingar a fim de ir para a cama também. "Entre três e quatro da manhã, eu chutava meu marido, que estava roncando, e ele acabava indo dormir na cama dupla de princesa de minha filha com a luzinha da Tinkerbell piscando na cara dele a noite toda", ela disse. "Como você acha que poderíamos ter sexo?"*

Esse tipo de aquisição hostil por parte de uma criança é o principal assassino da intimidade conjugal.

Os pais é que devem tomar o controle e assumir as rédeas. Se você e seu cônjuge praticarem a semana da *Sexperiência*, seus filhos vão começar a aprender o que significa ser da equipe de apoio, não os chefes, pois vocês vão colocar um ao outro no centro da família. Como marido e mulher, em primeiro lugar, e, então, como pais, vocês vão fazer da intimidade e do tempo a

---

* http://www.true-emotions.net/Education/psychology/Human-dev-wint-06-07/articles/We%20are%20not%20in%20the%20mood.doc (acesso em 10 maio de 2012).

sós uma prioridade. Vocês dirão quando, onde e como, e as crianças só terão de seguir o que vocês decidirem.

Assumam o papel de líderes, demitam seus filhos e façam o que vocês têm que fazer. Então, percebam que, quando realizarem essa mudança de papéis e seus filhos saírem do escritório da diretoria e forem para o lugar da equipe de apoio, eles não ficarão felizes. Provavelmente irão se rebelar e um de vocês vai querer reconsiderar. O que vocês devem fazer?

A primeira coisa que devem fazer é manter os olhos no que Deus estabeleceu. Tenham em mente o plano e o projeto de Deus para o casamento. A segunda coisa a fazer é se comprometerem novamente com o relacionamento conjugal. Após acertarem essas duas coisas, então virá a número três: esperem conflitos.

Por que conflitos? Porque a essa altura seus filhos estiveram sentados na poltrona de diretor por anos. Eles gostam dos refletores. Eles gostam de determinar como as coisas são, e não vão se resignar sem luta. Mas, lembre: como pais, vocês são os líderes. Unam-se e não cedam. Uma coisa mais importante que o acesso de mau humor de seus filhos estará em jogo: seu casamento e seu legado, os quais irão influenciar grandemente o futuro deles.

Acredite: seus filhos preferirão ser arrancados da poltrona de chefe a ter os pais vivendo em casas separadas porque se divorciaram.

Reunião dos acionistas da família

Para recuperar sua posição de diretor executivo, você precisará fazer uma reunião dos acionistas da família. Isso não é uma reunião de diretoria, lembre, pois seus filhos não são diretores. Você e seu cônjuge são os únicos dois membros da família que constituem a diretoria. Vocês são os presidentes da empresa.

Mas sua família, seus filhos, devem ter algumas ações na empresa familiar em questão. Não se trata de uma divisão de 50% para os pais e 50% para os filhos. Para retornar ao posto de comando, você e seu cônjuge devem sentar-se com a equipe da família, seus acionistas, e dar a visão da empresa para eles. Mostrem-lhes que, como pais, vocês trabalham juntos para assumir o controle.

A visão de família

A Bíblia diz: "Onde não há visão, o povo perece" (Provérbios 29:18 - tradução livre). Assim, você precisa ter uma visão, uma missão para sua família. Se não tiver, sua família vai se desviar para as influências e tentações que o inimigo tem preparado para despedaçar famílias.

Bem, talvez você esteja dizendo: "Isso é legal, Ed. Penso que vamos nos empenhar para tentar formular uma visão para nossa família. Humm... mas o que pode ser? Eu não sei."

Você não precisa se preocupar com sua visão. Relaxe, pois ela já está estabelecida para você na Bíblia. Aqui está o que Josué disse a respeito da família dele: "Eu e a minha família serviremos ao Senhor" (Josué 24:15).

Josué não fez votação. Ele não consultou estatutos. Ele não reuniu um grupo de trabalho, uma equipe de pesquisadores ou um comitê. Ele fez uma declaração com respeito ao que sua família iria fazer. Em suma, o que ele disse foi: "Eu sou o pai. Estou assumindo o comando. Nós vamos seguir ao Senhor." Ele estabeleceu a visão para a família.

Depois de estabelecer a visão para sua família, você terá que fazer algo mais: terá que *construir* a visão. Você terá que amarrar aquela visão com o comprometimento, a perseverança e as outras coisas necessárias para levá-la a cabo. Conheço muitos homens e mulheres que falam de visão noite e dia, mas eles nunca *fizeram* o que é necessário para que ela dê resultados. Nós vamos fazer as coisas.

Desafio você a fazer algo que Lisa e eu começamos a fazer muito tempo atrás com nossos filhos. Frequentemente, dávamos objetivos a eles. Então, nós éramos seus consultores para ajudá-los a entender como alcançar aqueles objetivos. Isso é o que significa ser um diretor executivo na família. Nós definimos os objetivos, não os filhos.

Se você não tem liderança, na família ou em qualquer outro lugar, existe um vazio no lugar onde a liderança deveria estar. Sempre que houver esse vazio, imagine: quem vai começar a liderar? Pessoas que não têm noção do que é liderança, como as crianças, se apressam para isso.

Talvez você tenha visto filhos assim. Eles têm pais que, por uma razão qualquer, abdicaram da responsabilidade paterna — talvez por estarem sobrecarregados ou por serem usuários de drogas —, e crianças foram deixadas no comando. Elas estão preparando seus irmãos mais jovens para a escola. Estão preparando refeições para a família. Estão tentando dar apoio mental e emocional à família, e isso é uma tarefa para a qual uma criança não está equipada.

Fazendo a transição

Deixar de ser alguém centrado nos filhos para ser alguém centrado no casamento implica fazer alguns ajustes no relacionamento de vocês. Você e seu cônjuge poderão ter de reaprender a se relacionar intimamente um com o outro. Mas vale a pena. A melhor coisa que você pode fazer por seus filhos é ter um casamento maravilhoso. Se vocês não o tiverem, seus filhos nunca sairão de casa tendo uma perspectiva boa sobre ele.

Então, o que você faz para ter um casamento maravilhoso? Gaste tempo para conectar-se: mental, sexual e emocionalmente. A Bíblia diz: "Por essa razão, o homem deixará pai e mãe e se unirá à sua mulher, e eles se tornarão uma só carne" (Gênesis 2:24). Essa é a supercola que mantém seu casamento.

A *Sexperiência* foi criado para cônjuges que têm deixado de se conectarem de modo satisfatório para ambos. Sua semana de intimidade sexual fará com que você e seu cônjuge se envolvam com intimidade física, mas durante essa semana você começará a ver outros espaços vazios ou negligenciados em seu casamento. É a oportunidade para você realinhar seu relacionamento a fim de se conectar novamente ao seu cônjuge para uma intimidade permanente que se soletra L-E-G-A-D-O.

Para ter um vislumbre de como um casamento maravilhoso se parece, é preciso haver mais do que intimidade física. Vocês precisam se conectar um ao outro de várias maneiras que sugiram intimidade. Envolver-se em atividades não sexuais durante o dia pode se traduzir em excitação sexual à noite.

Dá trabalho separar as coisas para, então, se unirem. E isso não acontece espontaneamente só porque vocês são casados.

Honra

Depois da palavra *amor*, a palavra *honra* é o segundo componente dos votos que assumimos no casamento. Marido e mulher fazem um voto de honrar um ao outro.

Você sabe como honrar seu cônjuge? Vocês podem honrar um ao outro de modos específicos por meio de atos deliberados.

O modo mais imediato de honrar seu cônjuge é mostrar-lhe respeito, tanto pública quanto particularmente. Nem todos os cônjuges fazem isso. Alguns mostram respeito em público, mas denigrem o outro em particular.

Por exemplo, uma mulher elogia o marido em público, mas, quando estão em casa, frequentemente grita com ele ou lhe diz palavrões quando conversa com ele. O marido faz o contrário: fala de modo respeitoso com a esposa em casa, mas em público a desrespeita muitas vezes. Sua rudeza em relação a ela está ligada a uma necessidade distorcida de mostrar a outros que ele é a cabeça da família.

Respeito é uma parte importante da honra ao cônjuge, porque, se não praticar isso, você não terá uma intimidade sem barreiras. Você não poderá ter a abertura e a vulnerabilidade que a genuína intimidade requer porque a pessoa desrespeitada terá sempre um muro de proteção ao redor dela, mesmo que ela não perceba isso.

Iremos falar de respeito um pouco depois neste capítulo, mas há outros modos importantes de honrar seu cônjuge que podem ajudar bastante a adicionar um pouco de incentivo para o quarto: afirmação e admiração.

Afirmação

Qual é o significado de eu afirmar alguma coisa? É uma declaração que se faz sobre a existência de algo. Assim, quando faço uma afirmação sobre Lisa, digo algo como: "Lisa, você é uma excelente cozinheira."

E ela é mesmo. Isso é um fato. Mas só porque é um fato não significa que eu nunca deva fazer alguma afirmação sobre os talentos dela. Várias vezes eu digo: "Lisa, você é uma *chef* surpreendente."

Muitas vezes, ela me diz: "Ed, eu gostei muito do modo como você administrou aquela situação." Todos nós precisamos de afirmação.

Admiração

Admiração ocorre quando aprovamos alguma coisa entusiasticamente. Todos precisamos de admiração, por mais realizados que sejamos. Não importa quanto um ator ganhe por um filme, ele quer a admiração de seus pares na forma de um Oscar. Por mais realizada que seja uma cantora, ela deseja a admiração dos colegas na forma de um Grammy.

Com frequência pessoas vêm a mim após um culto e dizem: "Ed, eu desfrutei daquela palavra. Ela realmente foi muito importante para mim e Deus usou mesmo você." Eu amo essas palavras de afirmação e de admiração.

Algumas vezes, pessoas começam seu comentário com: "Bem, Ed, eu sei que você deve ouvir isso o tempo todo, mas..." Na verdade, eu não ouço isso o tempo todo. Eu gosto de ouvir das pessoas, seja depois do culto ou por e-mail, telefone ou SMS, que eu pude ajudá-las. Elas dão um empurrão no meu barquinho, pois, afinal, eu fui chamado para fazer isso.

Mas há uma pessoa que pode levar a afirmação e a admiração em minha vida a um nível único. Lisa. Quando minha esposa faz afirmações sobre mim e me admira ao dizer algo como: "Querido, eu amei a mensagem de hoje", isso mexe comigo!

A Bíblia diz que palavras são como joias: "A palavra proferida no tempo certo é como frutas de ouro incrustadas em uma escultura de prata" (Provérbio 25:11).

Estude seu cônjuge. Saiba o que impulsiona o barquinho dele. Um toque, um olhar, um comentário... Isso é um tratamento de amor. Temos de nos empenhar em afirmar e admirar.

Durante sua semana da *Sexperiência*, dê especial atenção a maneiras de honrar seu cônjuge por mostrar-lhe uma porção extra de respeito, afirmação e admiração.

A *Sexperiência* é para levar seu casamento a um novo nível, ao ponto máximo! Portanto, esse é o momento de incrementar o jogo e honrar seu cônjuge como nunca antes.

Conforme você incrementar o jogo, seus filhos irão perceber. Quando eles virem vocês sendo mais respeitosos, fazendo mais afirmações e demonstrando admiração um pelo outro, irão testemunhar um novo paradigma de relacionamento conjugal. Isso vai inspirá-los para estabelecer padrões elevados para o próprio casamento no futuro.

Um casamento sólido é um legado com o qual nenhum fundo de investimentos pode se comparar. Mas preciso alertar você: para alcançar isso, você tem que definir algumas prioridades.

É bom dizer aos filhos que seu casamento é importante. Mas, quando eles observarem pessoalmente que o casamento dos pais é importante porque priorizam estar juntos, isso lhes dará um entendimento totalmente diferente da aliança matrimonial.

Quando seus filhos virem que vocês dois gostam de estar juntos e que fazem disso uma prioridade, isso lhes ensinará que o relacionamento marido-mulher é a mais alta prioridade na família. Vai ensiná-los que papai e mamãe amam um ao outro com um tipo especial de amor, que é reservado exclusivamente um para o outro. Vai ensiná-los que, quando papai e mamãe saírem só os dois, voltarão mais felizes e fortalecidos.

Priorize o casamento

Eu amo a palavra *prioridade*, pois vem da raiz *prior* (primeiro). Precisamos estabelecer a prioridade *prior* para envolver-nos em uma atividade. Muitos de nós ainda não vivem guiados por prioridades. Estamos deixando as "-dades" da vida tirar-nos do caminho e do foco, foco que deveria estar em Deus, no casamento e nos filhos.

Em lugar disso, dizemos: "Puxa, eu tenho esta '-dade', esta '-dade' e esta '-dade'. Eu só vou tomar uma decisão quando a '-dade' me alcançar." Não, não, não! Você tem de decidir sobre como investir seu tempo *prior* naquela "-dade"!

Você não diz: "Bem, aqui está a atividade. Ok, eu me pergunto: quais são minhas prioridades?" Não; antes de assumir qualquer atividade ou de se envolver nela, conheça suas prioridades: Deus, casamento, filhos.

Pergunte-se: "Essa atividade vai atrapalhar o desenvolvimento de minha relação com Deus? Ou meu casamento? Ou meus filhos?" Você tem que fazer a si mesmo essas perguntas difíceis.

Deixe-me compartilhar algo que tenho aprendido sobre estabelecer prioridades. Lisa e eu vivemos bem ocupados. Somos escritores. Temos quatro filhos — LeeBeth, EJ, Laurie e Landra — envolvidos em muitas atividades extracurriculares. Como pastor da Fellowship Church em Dallas/Fort Worth e em Miami, falo semanalmente em vários cultos. Preciso ter material novo acerca do qual falar e ter orado para compartilhar uma mensagem da Palavra de Deus. Para preparar meus sermões, tenho que fazer anotações — mais ou menos vinte páginas de pesquisa. Tenho de ler livros, ouvir gravações, falar com pessoas e tudo o mais que precise fazer para tornar a mensagem relevante e inspiradora. Também tenho de viajar e falar em outros eventos.

Lisa e eu desfrutamos de uma vida bem corrida e amamos o ministério que temos. Mas, por vezes, com todas essas atividades, corremos o risco de ter conflitos de agenda.

Lembro uma vez em que, no meio de nossas obrigações familiares e profissionais, nossa noite de namoro estava com um ar meio triste porque havíamos agendado participar de uma atividade que era muito importante. Era uma coisa boa e nós precisávamos estar lá. Era uma daquelas ocasiões em que, se não aparecêssemos, alguém diria: "Sabe, Ed, você e Lisa realmente precisavam ter estado aqui."

Mas, em lugar de assumir que nós simplesmente tínhamos de estar naquele importante evento, Lisa e eu decidimos parar e priorizar. Percebemos que não tínhamos uma noite de namoro há semanas. E, como nosso casamento é a segunda coisa mais importante no mundo para nós, decidimos honrar aquele tempo que era nosso. Veja, em nosso mundo Deus é o número um. O número dois é o casamento. O número três, os filhos.

Definir prioridades significa dizer sim para o melhor. A melhor coisa é Deus, pois ele quer o melhor para nós. Mas dizer sim para o melhor significa dizer não para o bom. Lembre: o bom é o inimigo do melhor.

Nestas três décadas em que Lisa e eu estamos juntos, tenho tomado muitas decisões em que não fiz os ajustes corretos. Tenho deixado atividades ou alguma outra coisa, outra "-dade", bagunçar a estrutura Deus-casamento-filhos. Mas, quanto mais priorizo e coloco o melhor em primeiro lugar, mais fácil fica fazer os ajustes corretos.

Vulnerabilidade

Priorizar o tempo com o cônjuge é importante, mas o que fazer nesse tempo também é. A razão pela qual dou muito valor à noite de namoro e às fugidas de fim de semana — cônjuges investindo tempo em um lugar que tenham escolhido no qual possam se desligar de tudo o mais — é porque isso promove vulnerabilidade.

Estar sozinho em um lugar neutro com seu cônjuge é o momento em que você pode ser vulnerável e partilhar seus medos, seus sonhos, seus questionamentos e seus desejos.

Vulnerabilidade e intimidade estão intrinsecamente ligadas. Quando sou vulnerável com Lisa e ela comigo, partilhamos sonhos, sucessos, dúvidas e falhas.

Em seu envolvimento com a *Sexperiência*, eu o desafio a criar lugares de vulnerabilidade. Você não pode demonstrar vulnerabilidade em um voo. Você não pode manifestá-la quando está sobrecarregado, superestimulado e vivendo acima de suas possibilidades por estar seguindo uma agenda que outra pessoa fez para você, especialmente seus filhos.

Filhos são uma peça crítica quando se trata de vulnerabilidade. Muito cedo eu percebi que filhos parecem ser sinônimo de *vamos manter a intimidade dos pais a distância*. Assim, se você quiser ter esses lugares de vulnerabilidade, é melhor ter sucesso em manter seus filhos a distância. Lembre-se: o cônjuge permanece, os filhos partem. E, quando partirem, você vai querer que eles levem a herança que você modelou: um casamento amoroso, afetivo e íntimo.

Os filhos podem ver o fruto de sua vulnerabilidade no casamento, mas ela mesma não deve estar visível para eles — e para mais ninguém. Aqui há um importante ponto que não pode ser esquecido: não torne sua vulnerabilidade visível. Isso não é tanto um problema para os homens, pois ela não é muito natural em nós. Mas é uma grande tentação para as mulheres, pois elas falam milhares de palavras a mais que um homem por dia.

As mulheres se sentem muito mais confortáveis partilhando sentimentos, inseguranças e fragilidades. Assim, é tão tentador para elas falar de momentos de vulnerabilidade para amigas no almoço ou na academia ou enquanto fazem compras juntas, ou mesmo para os filhos. Mas isso é definitivamente um limite que você não deve cruzar. Se os limites com seus filhos têm muitos buracos ou áreas nebulosas, isso é perigoso para seu casamento.

Guarde suas vulnerabilidades para seu cônjuge. Fale-as para ele. Fale-as para Deus. Fale com um conselheiro cristão ou talvez com um pastor sobre elas. Ao guardar sua vulnerabilidade no lugar certo, suas palavras serão "como frutas de ouro incrustadas em uma escultura de prata". E isso é um legado muito valioso a deixar para os filhos.

Respeito

Desprezo é uma palavra muito difícil. É uma falta de respeito ou de reverência por alguma coisa. A aliança do casamento — um laço de sangue para a vida toda — é totalmente relacionada ao respeito. É relacionada à vulnerabilidade, à afirmação, à admiração. Assim, em lugar de se defender, procure mostrar vulnerabilidade. Em vez de desprezar, busque respeitar.

Posso dizer se falta respeito em um casamento por observar como a esposa olha para o marido quando ele fala. Se ele está falando e ela olha para ele como se estivesse enojada ou se corrige tudo o que ele diz, posso dizer que eles estão se encaminhando para problemas conjugais, se já não estiverem com eles. Os cônjuges frequentemente desrespeitam um ao outro e sentem como se fossem empurrados para isso, como se não pudessem evitar. Mas eles podem.

Muitos anos atrás eu estava fazendo contato com criadores de cães à procura de um *bullmastiff*. Uma criadora com quem falei me disse: "Eu adoraria que você tivesse um de nossos *bullmastiffs*. Na verdade, uma cachorrinha chamada Sadie vai ter filhotes por estes dias. Ed, eu gostaria que você a visse agora mesmo." Então, ela começou a falar com a cachorrinha com voz de bebê: "Você vai ser uma boa mamãe, não vai, Sadie? Boa garota..."

De repente, ela passou da fala de bebê com a cachorra para gritar com o marido. "O que você quer? Cala a boca! Eu tô no telefone! Ed, me desculpe, meu marido cortou nossa conversa..." Ela estava tratando Sadie, a cachorra, melhor do que a seu esposo. Isso não é impressionante?

Que tipo de legado você está deixando para seus filhos que veem que você fala com seu cachorro mais carinhosamente do que com o seu cônjuge? Você deve falar com seu cônjuge de modo respeitoso, pois vocês são uma só carne. Quando você o desrespeita, desrespeita a si mesmo. Siga o que a Bíblia diz: "Nada façam por ambição egoísta ou por vaidade, mas humildemente considerem os outros [incluindo seu cônjuge] superiores a si mesmos" (Filipenses 2:3).

Reconciliação

Esse é um bom versículo da Bíblia para ser lembrado quando conflitos em seu relacionamento surgirem. Sempre que Lisa e eu temos um ponto de atrito — um argumento, um problema ou quando tenho alguma coisa contra ela —, como seguidor de Cristo creio que tenho a responsabilidade de logo me reconciliar com ela, porque eu fui maravilhosa e perfeitamente reconciliado por Jesus Cristo.

Lisa e eu nos empenhamos em nos reconciliar rapidamente porque isso é o que tem de ser feito e isso abençoa nosso casamento, mas também porque estamos conscientes de que somos o modelo de reconciliação para nossos filhos como parte do legado para eles.

Como pai e pastor, estou ciente de que não posso falar sobre reconciliação para meus filhos no culto de domingo na igreja, e não viver isso no âmbito do casamento com a mãe deles. Eles estão aprendendo a praticar a reconciliação nos relacionamentos nos observando.

Antes que nossos filhos mais novos tivessem idade para dirigir, muitos dias por semana eu os levava para a escola. Como muitos garotos, os nossos discutiam e brigavam no carro. Na maioria das vezes, eu conseguia aguentar suas brigas por cinco minutos. Então, eu dizia: "Chega! Nenhuma palavra mais até chegarem à escola, ok?" "Sim, senhor", eles poderiam responder, e, por um tempo, tudo o que a gente ouvia era o ronco do motor do carro.

Sempre usávamos a mesma rota para a escola, na qual atravessávamos uma ponte. Invariavelmente, na ponte, uma das crianças dizia: "Papai, posso dizer uma coisa?" Eu diria, por exemplo: "Sim, Laurie." "Landra, me desculpe. Você me perdoa?" Então, na próxima semana talvez fosse: "Laurie, você me perdoa?" Na semana seguinte: "EJ, você me perdoa?"

Isso sempre acontecia na ponte. Por isso, eu comecei a chamar aquele lugar de Ponte do Perdão. Sempre que passássemos sobre a ponte, eu sabia que o perdão ia ter lugar.

Penso que o casamento precisa de uma ponte do perdão. É o ponto em que a briga que aconteceu já é suficiente. Você tem chance de pensar sobre isso e, quando atravessar a ponte do perdão, você desejará estar reconciliado e dará os passos para fazer isso acontecer.

Marido e mulher precisam atravessar a ponte do perdão regularmente — diariamente, semanalmente, mensalmente, anualmente — e ter um ministério de graça e de reconciliação no lar que seus filhos queiram imitar.

Fundos de investimento não são nada

Fundos de investimento podem ser uma parte importante do legado de qualquer pai para os filhos, mas não são a mais importante. O legado de um casamento cheio de amor e de intimidade pode influenciar a vida de seus filhos de muito mais maneiras que um fundo de investimento.

Muitas pessoas famosas por terem herdado esse dinheiro, com frequência aparecem em manchetes por causa de suas excentricidades selvagens e malucas. Elas vivem na riqueza que alguém lhes proporcionou, mas estão deixando de lado algo que tem muito mais valor que dinheiro. Muitos deles têm dinheiro, mas não receberam o legado de pais amorosos e comprometidos que lhes deram o modelo da intimidade da aliança do casamento.

Há muito tempo aprendi que a melhor coisa que posso fazer por meus filhos é me dedicar a meu casamento. Quando amo Lisa como Cristo amou a igreja, estou fazendo o melhor por nossos filhos. Também descobri que quando expresso egoísmo em minha relação com Lisa, estou corroendo a autoestima deles.

Como seu casamento está, assim estarão seus filhos. Como seu casamento está, assim estará sua função de pais. Como seu casamento está, assim estarão os alicerces, a autoestima e a confiança de seus filhos. Como está seu casamento, assim será o caminho de seus filhos quando saírem de casa para viver a própria vida.

Se você se preocupa com o futuro deles, então se preocupe com seu casamento. E faça o que puder para aperfeiçoar esse relacionamento. Não há melhor investimento que você possa fazer para o sucesso de seus filhos do que um casamento saudável e estável.

Dê uma chance aa *Sexperiência* e veja como essa coisa de criar um legado funciona por sete dias. Quando colher os benefícios, você desejará continuar no caminho que leva a um legado sólido sobre o qual seus filhos poderão construir futuros relacionamentos.

Passos práticos

1. Escreva para seus filhos um "testamento" que contenha as lições sobre relacionamento que você lhes deixa baseadas na qualidade de seu casamento. Por exemplo: "Nós, João e Maria, deixamos a nossos filhos a compreensão de que o casamento é um relacionamento de aliança". Ou: "Nós deixamos para eles um espírito de alegria entre marido e mulher que lhes mostrará que o casamento é o melhor relacionamento que eles poderão ter na terra." Depois de ter escrito cerca de dez itens, discuta-os com seu cônjuge. Fale sobre modos de deixarem um forte legado para os filhos por meio de seu casamento.

2. Enquanto se prepara para a *Sexperiência*, pense sobre as "-dades" que podem interferir em sua semana de intimidade. Faça uma lista com seu cônjuge das "-dades" que impedem a intimidade de vocês. Discuta o que significa priorizar Deus e colocá-lo em primeiro lugar, o casamento em segundo e os filhos em terceiro. Como essas coisas estão em seu casamento?

3. Crie uma lista de sete maneiras de honrar seu cônjuge por meio de manifestações de afirmação e admiração durante a semana da *Sexperiência*. Escolha uma para cada dia a fim de ajudar a construir a intimidade em seu relacionamento.

4. Antes de começar a *Sexperiência*, fale com seus filhos e peça-lhes para compartilharem como veem o seu casamento. Então, pergunte-se: "Meu casamento inspira meus filhos a quererem o mesmo tipo de relação?" Discuta em particular com seu cônjuge as respostas deles para ajudá-lo a saber que tipo de legado está sendo deixado para os filhos. Então, fale sobre como você espera que a *Sexperiência* possa ajudar a criar um legado mais sólido para eles.

Antes de casar

Em média, há 2,3 milhões de casamentos por ano nos Estados Unidos. No entanto, mais da metade dos primeiros casamentos terminarão em divórcio. O que acontece com os segundos casamentos é ainda pior: 67% deles terminam em profunda separação. E se pensa que a prática leva à perfeição, você está errado, pois 74% dos terceiros casamentos não conseguem isso.

É paradoxal. Por um lado, estamos correndo para o altar; por outro, estamos correndo para os cartórios a fim de realizar o divórcio. No entanto, ainda gastamos tempo construindo um relacionamento com alguém, na esperança de que isso leve ao casamento.

Não importa se você veio de um lar de pais divorciados ou de um lar em que eles estejam juntos, agora é o momento de considerar o que aprendeu sobre casamento enquanto vivia com sua família.

É importante para você olhar para esses fatores, pois eles afetarão como você se relacionará com seu cônjuge. Você viu um relacionamento amoroso que era nutrido e que manifestava apoio? Talvez você tenha vindo de uma casa cheia de amor na qual seus pais demonstravam a aliança do casamento, mas seu futuro cônjuge cresceu com pais divorciados. Como chegar a um consenso com respeito ao casamento como uma relação de aliança?

Espero que, antes de casar, você e seu(sua) noivo(a) procurem aconselhamento cristão que os ajudará a dar corpo a essas questões. Seu conselheiro vai ajudá-los a entender como definir prioridades — Deus, casamento e filhos — em seu relacionamento e como concretizá-las de fato.

Não importa sob quais circunstâncias vocês irão se casar: resolvam que ambos servirão a Deus e que seu casamento será sempre seu relacionamento mais importante na terra. Estabeleça as outras prioridades de acordo com isso.

Jugo não é jogo

Após ler este capítulo, você pode estar pensando: Uau! Esse negócio de casamento dá muito trabalho. E se você envolver crianças, então, a coisa fica realmente muito séria. E você pode estar certo.

Talvez ao ler estes capítulos você possa começar a ver como alguns casais saíram dos trilhos e por que precisam de uma semana de *Sexperiência* para ajudá-los a se conectar novamente e a realinhar o relacionamento.

Após ler este livro, pense sobre alguns casais que você conhece. Pense sobre algumas características do casamento deles e da impressão que você tem, boa ou má. O que faz um casamento ser bom? O que faz um casamento ser ruim? Eles estão deixando um bom legado para os filhos?

É importante que você faça essas observações, pois você vai querer encontrar essas mesmas características em qualquer pessoa que namorar.

Muitas pessoas namoram uma ideia ou uma imagem, e não uma pessoa, só para ficarem desapontadas quando casam e o cônjuge prioriza a carreira, as necessidades dos pais ou mesmo um jogo de futebol mais do que o casamento.

As pessoas não mudam magicamente só porque dizem que vão mudar. Não seja hipnotizado por namorar um ideal e perder de vista o que é realmente importante no casamento. A pessoa que você vê enquanto está namorando será a mesma que você verá toda noite em sua cama quando se casarem.

É importante namorar uma pessoa que demonstre potencial para colocar Deus em primeiro lugar, o casamento em segundo e filhos em terceiro. É importante namorar alguém que queira deixar o legado de um bom relacionamento conjugal e entenda por que isso é tão importante.

8

Conversa de travesseiro

A primeira vez que pus os olhos em Lisa foi em uma igreja em Colúmbia, na Carolina do Sul. Estava sentado na galeria, talvez na penúltima fileira. Todos os meus amigos falavam: “Uau! Olhe aquela menina. Cara, ela é gostosa!”

Várias semanas depois, um amigo nosso, David “Bolhas” Swindler, me mandou um recadinho que dizia: “A Lisa ia realmente amar se você ligasse pra ela.” Eu queria mesmo falar com ela, mas Lisa tinha sido sempre muito equilibrada e madura. Por isso eu estava um pouco nervoso sobre ligar para ela. Mas liguei e houve uma conexão desde a primeira vez em que conversamos.

Lisa: O Ed me ligou em uma noite de segunda-feira. Acho que ele recebeu o recadinho no domingo. Não sabia que David tinha lhe entregado aquele recado, mas, quando ele ligou, eu estava correndo pela casa, sem fôlego, porque não conseguia achar meus tênis e já estava atrasada para um jogo de *softball*. Fiquei ainda mais sem fôlego quando ouvi a voz do Ed do outro lado. Fiquei muito empolgada por ele ter ligado. Foi a primeira de várias e várias ótimas ligações.

Ed: Um pouco depois, tivemos nosso primeiro encontro, por assim dizer. Fomos ao cinema e assistimos ao filme *Tubarão*.

Lisa: Foi quando nós demos as mãos pela primeira vez, na verdade.

Ed: É, foi durante aquela cena em que eles atiram o barril de flutuação no tubarão.

Lisa: Na verdade, só demos os mindinhos. Enquanto estávamos nos conhecendo, ficávamos ao telefone o tempo todo. Quando o Ed começou a dirigir, começamos a sair juntos.

Ed: Acho que estávamos namorando havia dois ou três meses quando minha família foi à Jamaica para uma viagem de duas semanas.

Lisa: Foi como se ele tivesse ficado fora por seis meses. E nós ficamos simplesmente arrasados porque estaríamos separados.

Ed: Enquanto minha família e eu estávamos viajando, Lisa me mandou uma carta de seis páginas com perfume Charlie borrifado no papel. Meus pais ficavam me provocando: "O que a Lisa está dizendo? Por que não lê a carta para nós?" Eu estava com vergonha de ler em voz alta porque dizia: "Eu amo você e blá-blá-blá."

Lisa: Então o Ed me respondeu com uma carta com Musk Oil, da Jovan, nela.

Aqueles eram os dias em que Lisa e eu podíamos gastar horas nos comunicando um com o outro, verbal e não verbalmente. Mas, por melhores que aqueles tempos tenham sido, mesmo em nossos dias de namoro, tínhamos alguns problemas de comunicação. No geral, entretanto, foi bom. Acho tão legal como Deus levou nosso relacionamento a completar o ciclo: em 26 de junho de 1982, na Primeira Igreja Batista de Colúmbia, na Carolina do Sul, nos tornamos marido e mulher.

Quando penso nos primeiros dias de nosso relacionamento, acho ótimo a comunicação ter sido tão importante para nós. Creio firmemente que namorados que buscam ao Senhor diariamente e se comunicam com ele regularmente irão se comunicar no casamento de maneira magnífica.

Estando no ministério por todos esses anos e casados por quase três décadas, Lisa e eu tivemos a oportunidade de conversar com muitos casais. É assombroso pensar sobre as interrupções e os problemas de comunicação com que tantos maridos e esposas precisam lidar.

A maioria dos casais começa como Lisa e eu quando estávamos namorando. Quando um cara e uma garota namoram, tudo — especialmente a comunicação — simplesmente flui. Parece tão fácil e sem esforço, não é? Você se lembra de conversar por horas ao telefone, das longas caminhadas e de vocês dois fechando restaurantes porque conversavam e conversavam sem nunca ser o suficiente?

Então, no momento em que o pastor os declarou marido e mulher, você esperava que a comunicação se aprofundasse, não é? Você ainda esperava aquelas conversas longas, profundas e românticas. Você ainda esperava as longas caminhadas. Você ainda esperava serem os últimos a sair de restaurantes.

Mas algo mudou depois que vocês trocaram seus votos. Conversas ficaram um pouco cansadas, um pouco previsíveis e um pouco insossas. Passados alguns anos de casamento, você já ouviu as mesmas histórias tantas vezes que poderia recitá-las de cabeça. Seus diálogos se transformaram de sonhos, desejos, planos e promessas em bordões de uma ou duas palavras. Talvez, muito talvez, suas habilidades de comunicação (falar e ouvir) não sejam bem o que costumavam ser quando se casaram.

Creio que uma razão-chave pela qual os casais passam por tal complicação para se comunicar em algumas circunstâncias no casamento é porque homens e mulheres são muito diferentes. Claro, as diferenças físicas são óbvias. E nós já discutimos no capítulo 2 algumas delas quanto às necessidades de intimidade. Mas homens e mulheres também se comunicam de maneira diferente. Nós também nos comunicamos diferentemente quanto a sexo e a necessidades sexuais. Você não pode ter intimidade (vulgo "ver dentro do outro") sem comunicação.

Comunicação acontece em relacionamentos tanto verbal quanto não verbalmente. Seja ela positiva ou negativa, boa ou ruim, depende de você.

Tratar problemas de comunicação é essencial para ter a bela vida sexual que você espera que exploda durante a *Sexperiência*. Talvez você pense: "Ed, não rola muita conversa durante o sexo; então, qual o problema?" Pode ser que não role muita conversa durante o sexo, mas há muita comunicação. E começa antes de os cônjuges sequer chegarem perto do quarto.

Sabemos que homens e mulheres não se comunicam do mesmo jeito. Mas por que às vezes é tão difícil para homens e mulheres se comunicarem?

Digamos, por exemplo, que uma mulher sai para fazer o cabelo. Ela encontra uma amiga, que vai dizer algo como: "Menina! Seu cabelo tá lindo! Essa cor é nova, não é?" Daí a mulher de cabelo novo responde: "Obrigada. Ficou um pouco mais claro do que eu queria, mas estou começando a gostar." Elas podem seguir falando por horas a fio sobre a nova cabeleira.

Mudando a cena, se um homem corta o cabelo, seu amigo vai perguntar: "Cortou o cabelo?" E o homem vai responder: "É." Fim de conversa.

Como pode haver boa comunicação no casamento quando mulheres falam 12 mil palavras a mais do que os homens?

Deus criou homens e mulheres de modo diferente, mas eles ainda têm de se comunicar para se darem bem. Então, como participar dessa troca vital necessária para estabelecer ou manter a intimidade de que casamentos sólidos precisam? Como compartilhar esperanças, sonhos e expectativas quando mulheres gostam de se comunicar usando muitas palavras e homens tendem a ser breves e diretos ao ponto?

Aqui está um ponto de partida: "A palavra proferida no tempo certo é como frutas de ouro incrustadas em uma escultura de prata" (Provérbios 25:11).

Palavras certas na hora certa podem, de fato, fazer diferença. Isso é um presente de grande valor.

Há tempo para falar e tempo para calar. Sendo verdade que problemas no casamento devem ser tratados, é preciso maturidade e consideração para saber quando falar. Você precisa realmente se envolver com seu cônjuge, conhecê-lo para saber quando ele não conseguirá ouvir você.

Eu sou, por natureza, uma coruja e Lisa, uma pessoa matutina. E aqui está o acordo a que chegamos. Estabelecemos nosso fuso horário. Eu vou para a cama mais cedo do que iria normalmente e ela vai para a cama mais tarde do que normalmente iria. Assim temos nosso próprio fuso horário, no qual estamos alertas, animados e prontos para nos comunicar. Quando você e seu cônjuge encontrarem o fuso horário ideal, vão descobrir que sua capacidade de se comunicarem está no auge. Deixe-me encorajá-lo a fazer um pouco de exercício de fuso horário.

"Sejam todos prontos para ouvir, tardios para falar e tardios para irar-se" (Tiago 1:19).

Se você mais ouve do que fala, posso garantir que seu casamento vai se encaminhar para o tipo de intimidade a que você espera dar início por meio da *Sexperiência*. Se você está ouvindo seu cônjuge mais do que falando, isso significa que você está mais envolvido com ele. Significa que você está dando ouvidos às necessidades, aos pedidos e aos desejos dele, como você dava antes de se casarem. Significa que está priorizando as necessidades de seu cônjuge acima das suas. Significa intimidade (ver dentro do outro).

"Nenhuma palavra torpe saia da boca de vocês, mas apenas a que for útil para edificar os outros, conforme a necessidade, para que conceda graça aos que ouvem" (Efésios 4:29).

Todo casal deveria ter algumas regras de "limite" a respeito de comunicação, mesmo se for de provocação ou de humor. Deve haver uma zona na qual vocês simplesmente não entram, para manter o respeito um pelo outro. Se você estiver usando linguagem obscena ou abusiva com o cônjuge, estará destruindo qualquer possibilidade de intimidade autêntica em seu casamento.

Cresci com muitos caras em Canton, na Carolina do Norte. Um deles era um ótimo colega chamado Mike. Costumávamos jogar na casa dele com frequência. Uma das coisas boas nisso era que ele sempre dizia quais eram as regras do jogo antes de jogarmos, não importando qual fosse: beisebol, futebol ou qualquer outro.

Ele sempre dizia: "Ok, Ed. Se você for aqui, perto desta árvore já é fora do campo. Se bater a bola desse jeito e passar sobre a cerca ou se for pelo lado esquerdo da casa, é fora. Se bater a bola ali é escanteio." Desse modo, quando eu estava brincando com Mike, sabia sempre quais eram as regras.

Só que também andava com alguns outros caras que queriam inventar as regras ao longo do jogo. Com eles, você podia até pegar um passe e ficar animado, pensando: Vai ser gol! Yes! E os caras que inventavam as regras no meio do jogo chegavam e diziam: "Não, não, não! Eu não disse antes, mas você está impedido quando passa deste ponto aqui." Aquelas regras inventadas sempre deixavam o quase-vencedor em pé, parado, em choque.

No casamento, temos a tendência de fazer a mesma coisa. Podemos rir da ideia, mas frequentemente interagimos como criancinhas. Apenas inventamos as regras pelo meio do caminho quando lidamos com problemas que surgem no casamento. Conflito conjugal não pode ser resolvido na hora. Não pode ser resolvido pelo celular. Não pode ser resolvido na frente das crianças à mesa de jantar. É preciso lidar com ele estratégica e intencionalmente.

A resolução efetiva requer regras para discussão. Uma comunicação sem regras, estilo vale-tudo, no casamento abre muito espaço para conflito, e isso não é bom porque conflito não resolvido destrói a intimidade. Conforme você e seu cônjuge se preparam para a *Sexperiência*, examinem-se para ver se há algum conflito atual, no seu casamento.

É hora de desfazer as malas

Uma grande fonte de conflito é a bagagem trazida para dentro do relacionamento. Há muitas malas diferentes por aí. Podem ser de relacionamentos anteriores. Há bagagem que surge da falta de confiança, por mais justificada que seja. Há bagagem de mágoas do passado. Mas uma das maiores origens de bagagem é nossa criação.

Lisa e eu jantamos há pouco tempo com um jovem casal; marido e mulher vieram de famílias com muita bagagem. Nunca me esquecerei do que nos disseram: "Sabem, Ed e Lisa, nós não tínhamos ideia da influência e do impacto da bagagem que nossas famílias nos deram." Eles continuaram contando como 90% dos conflitos haviam sido por causa da bagagem familiar que eles não processaram antes do casamento.

Mais tarde, eu disse a Lisa: "Eles estão no caminho certo. Esse negócio de bagagem familiar é muito sério, não é?"

Agora, vamos retroceder até quando Lisa e eu nos casamos. Lisa cresceu em uma família muitíssimo organizada. Por exemplo, quando saíam em férias, gastavam meses e meses planejando. Pegavam mapas de estrada, marcavam as rotas, contavam quantas paradas para banheiro teriam de fazer ao longo do caminho, onde comeriam, quanto tempo ficariam em determinado hotel, quanto custaria e tudo o mais. O pai dela até anotava todos os números e as estatísticas.

Minha família? O total oposto! Nós simplesmente pulávamos no carro e começávamos a dirigir rumo às férias. Não sabíamos aonde íamos, onde acabaria a viagem ou quanto tempo ficaríamos lá. Apenas íamos. Provavelmente com isso você já consegue imaginar o que aconteceu depois que Lisa e eu nos casamos e fomos tirar as primeiras férias. "Primeiro *round*! Lutem!"

Se você e seu cônjuge ainda não o fizeram, está na hora de abrir a bagagem e ver o que andam carregando aí dentro. Pode parecer mais fácil deixar a mala fechada e nunca olhar lá dentro, mas carregá-la por aí está pesando sobre você. Está pesando sobre seu casamento porque atrapalha a comunicação necessária para haver intimidade.

Quer você tenha intenção ou não, a *Sexperiência* abrirá as portas de comunicação entre você e seu cônjuge, talvez de um modo totalmente novo. Por causa da necessidade, vocês começam a se comunicar sobre a qualidade de sua vida sexual, sobre impedimentos e barreiras à intimidade, sobre a necessidade e o desejo por proximidade e a respeito de um novo jeito de definir a relação sexual entre vocês — como um ato de louvor.

Provérbios 13:17 (MSG) diz: "O mensageiro perverso causa mais confusão, mas o embaixador confiável resolve a situação." Se você quer ter progresso conjugal, precisa de boa comunicação; precisa ser um "embaixador confiável" com o cônjuge. Para levar o casamento a um nível completamente novo, vocês precisam ser criativos, especialmente em sua comunicação. O que você está fazendo para promover o tipo de atmosfera que leva à comunicação criativa?

A doce ciência

Em minha vida, fui abençoado por ter conhecido muitas pessoas interessantes e ter tido várias experiências fenomenais. Estive em diversas competições atléticas e eventos esportivos. Mas, há vários anos, testemunhei o evento mais empolgante que já vi.

Recebi uma ligação de um amigo que disse: "Ed, tenho um ingresso extra para a luta pelo título dos pesos pesados com Mike Tyson, se você quiser vir comigo." Eu disse: "Está brincando? Claro que eu quero ir!"

Então, voamos para Las Vegas e fomos testemunhar Mike "Ferro" Tyson lutar pelo título mundial. Enquanto estava lá sentado assistindo provavelmente ao maior boxeador de todos os tempos, eu não conseguia evitar ficar impressionado com a força, a potência e a habilidade que aquele homem tinha. Ele deu tudo na luta. Ele havia treinado para ela, estava preparado para ela e, quando a hora chegou, fez tudo o que podia para executar seu plano de ganhá-la.

Todo casamento vai enfrentar conflitos. Mesmo nos melhores casamentos haverá momentos em que os cônjuges vão "sair no braço" em certos assuntos. Mas, diferentemente de boxeadores, eles não estão lutando fisicamente. Mas, como Mike "Ferro", é preciso treinar para esses momentos para saber como lidar com tais situações de modo adequado. Se os cônjuges treinarem juntos da maneira correta para se tornarem lutadores habilidosos, terão um casamento tanto de sucesso quanto de *sussexo*. O maior componente desse treinamento vai exigir comunicação criativa.

Com frequência diferenças conjugais acabam em combates em vez de em resolução criativa de conflito. Deixe-me dar-lhe um exemplo. Talvez você tenha crescido em um lar em que o conflito era tratado ao estilo tartaruga. Um problema aparece e, em vez de lidar com ele, você aprendeu com os membros de sua família a retirar-se para a segurança de seu casco, como uma tartaruga. Você não quer falar sobre o assunto, então você tenta "dar um gelo" em todo mundo. Depois de um tempo, quando acha que é seguro, você põe a cabeça para fora do casco. O problema com essa técnica é que você se torna desligado e nunca lida com o conflito.

Ou talvez você tenha crescido em um lar em que o conflito era tratado ao estilo vespa. Vespas são insetos altamente agressivos. Talvez você tenha visto seus pais entrarem em discussão e seu pai dando ferroadas verbais em sua mãe bem na sua frente e de seus irmãos. Então começava uma troca de veneno verbal. Você cresceu pensando que esse é o modo como se deve lidar com o conflito, e, portanto, é o modo como lida com o conflito hoje. O problema é que depois de um tempo você tem uma reação alérgica a todo o veneno, e as coisas se tornam amargas.

Casamentos acabam nocauteados na lona relacional por pequenos *jabs*. Raramente um único e gigante soco é o que os apaga de vez. É a contínua ação daqueles pequenos, minúsculos cutucões que desgastam o casamento. Então, é preciso ter treinamento de boxeador para que o relacionamento não ceda sob a pressão de todos esses pequenos cutucões.

Casamentos sobrevivem e prosperam quando problemas são tratados de modo consistente e na hora certa. Você precisa de treinamento para se tornar campeão em administrar esses problemas conjugais.

Antes de apresentar o que é necessário para isso, entretanto, quero lhe dar um requisito: dedique sua vida a Jesus Cristo hoje, se ainda não o fez. Você não conseguirá entender resolução de conflito ou reconciliação ou como lutar limpo enquanto não dedicar a vida a Jesus Cristo. Agora, eu sei que alguém lendo isto pode pensar: Qual é, Ed? Eu comprei este livro para aprender a ter uma vida sexual melhor no casamento. Não estava tentando me tornar cristão. Eu tenho de começar por aqui, no entanto, porque essa é a essência da resolução de conflito bem-sucedida.

O apóstolo Paulo disse que antes de Jesus Cristo vir, éramos inimigos de Deus (ver Romanos 5:10). Não podemos ter paz com outros enquanto não tivermos paz com nós mesmos, e não podemos ter paz com nós mesmos enquanto não tivermos paz com Deus. Uma vez que você aceita o Filho de Deus, Jesus, como seu Salvador, você tem paz, reconciliação com Deus.

Aquele fator reconciliação vai se derramar sobre toda área de sua vida. Você terá o desejo de ser reconciliado com vizinhos, colegas de trabalho, familiares e, especialmente, com seu cônjuge.

Nossa família ama comida mexicana. Lembro-me de uma vez, quando as crianças eram pequenas, após sairmos de um restaurante mexicano Lisa e eu rimos porque tinham derramado quatro coisas em uma refeição: guacamole, molho apimentado, suplemento de bebê e suco de maçã. O que foi derramado literalmente tocou em todos nós. É o que acontece no momento em que você conhece Cristo pessoalmente. Esse fator reconciliação se derrama sobre cada parte de sua vida.

Dedicar sua vida a Cristo pode mudar seu casamento. Mas quero dizer-lhe algo. No momento em que aceitar Cristo, não será como se seus problemas no casamento sumissem magicamente. Você terá, entretanto, o poder para lidar com qualquer coisa que aparecer ao longo do caminho.

Já vi casamentos que não tinham o fator reconciliação operando e permitiram que um problema de menor importância os levasse ao divórcio. Por quê? Porque, em vez de terem o espírito de reconciliação, tinham o espírito de rebelião. Por outro lado, vi casamentos em que o fator reconciliação *está* operando e o casal sofre problemas devastadores e debilitadores; no entanto, o casamento passa por tudo isso e floresce ainda mais.

Desenvolvam conversas dirigidas à solução

Todos os casamentos — os fracos e os incrivelmente bem-sucedidos — enfrentam os mesmos problemas. Todos eles têm de lidar com as questões da TPM: de sexo, de poder e monetários. A diferença é que casamentos fortes tratam o conflito nessas áreas bíblica, honesta, aberta, verdadeira, amável e efetivamente. O que você e seu cônjuge fazem quando o conflito surge?

Comece a pensar em termos de conversas dirigidas à solução. Isso é difícil. Parece fácil, mas nem sempre é. Conversas dirigidas à solução quer dizer que vocês sabem que o propósito do diálogo não é fazer um ao outro em pedaços. A finalidade é chegar a uma solução para o problema.

O primeiro passo para criar conversas dirigidas à solução é *orar acerca do problema*. Derrame suas emoções a Deus... mesmo sua raiva. Quando você fica irado, qual é a primeira coisa que lhe vem à mente? Bem, eu sei o que vem à minha: "Vou endireitar a Lisa. Ela está errada e eu vou dizer a ela que... blá, blá, blá."

Você sabe o que a Bíblia diz? Pare e faça o balanço. Em resumo, o que Jesus disse foi: "Não se preocupe com o cisco na lente de contato de seu cônjuge quando você tem uma sequoia no olho. Tire a sequoia do olho antes de se preocupar com o cisco no olho de seu cônjuge (ver Mateus 7:3-5)." Aqui está meu desafio a você: no momento em que o conflito surgir, pegue um caderno e uma Bíblia, saia por uns vinte minutos e faça a Deus esta pergunta: "Deus, eu realmente só queria endireitar meu cônjuge agora mesmo. Eu acho que ele está totalmente errado. Será que sou eu que estou sendo egoísta, insensível, exigente e crítico? Será que sou eu, Deus?" Apenas ouça para ver o que Deus diz a você.

Em cerca de 90% das vezes que saí e orei antes de tentar "endireitar a Lisa", adivinha em quem estava o problema? Isso mesmo. Em mim. Quando submetemos o assunto a Deus, quando permitimos que seu Espírito se infiltre em nós, que trabalhe em nosso interior, entendemos como tratar os inevitáveis conflitos no casamento.

Depois de ter orado sobre a questão, concorde em *negociar em modo neutro*. Decida sobre um modo neutro e venha à mesa de negociação preparado a ter conversas de paz.

Chegue àquilo que é o problema de fato. É dinheiro? São os filhos? É sexo? É ficarem longe tempo demais? Qualquer que seja o problema entre você e seu cônjuge, peça a Deus para ajudá-lo e dar-lhe a criatividade para concluir a negociação. Pode levar duas, três, quatro, cinco, seis, sete rodadas de negociação, mas, prometo a você, vai ser benéfico a ambos. Antes de começar as negociações, assegurem-se de ambos estarem descansados e não terem distrações para que possam discutir a situação.

Estabeleça regras para a discussão

Diálogo dirigido à solução também requer regras para a discussão mutuamente acordadas. *Estabeleça as regras básicas* para a comunicação no casamento. Mas estabeleça-as quando tudo estiver bem, quando vocês puderem conversar de maneira racional e concordar sobre alguns princípios e preceitos a que obedecerão quando o conflito surgir.

Colossenses 3:8,9 diz: "Abandonem todas estas coisas...", e a primeira delas é a ira. A palavra *ira* significa gritaria, volume. Paulo também diz para que se livrem da maldade. Você sabe o que essa "maldade" quer dizer? Apertar o botão vermelho de seu cônjuge. Se você está junto há algum tempo, conhece aquele certo gesto, aquela palavrinha ou aquele olhar que vai fazer seu cônjuge estourar. Esse tipo de comportamento apenas atrapalha a comunicação.

Então Paulo continua: "maledicência e linguagem indecente no falar." Isso significa que palavras profanas ou comentários ofensivos nunca devem sair de seus lábios. Como você pode amar e honrar no casamento se maledicências ou indecências estão sendo proferidas contra o outro? "Não mintam uns aos outros", ele diz. Intimidade conjugal não pode ser construída sobre um fundamento de mentiras e desonestidade.

Lisa e eu queremos compartilhar com você algumas regras básicas para começar uma conversa que leve à solução. Deixe-me dizer já de início que não acertamos em todas elas. Ainda estamos trabalhando em muitas destas regras, mesmo após quase trinta anos casados. Assim como sugerimos, estamos também trabalhando nelas com você.

1. Nunca comparem. Se o conflito surgir, nunca digam: "Você age igualzinho à sua mãe", ou: "Meu pai nunca faria isso desse jeito".

2. Nunca usem absolutos. "Você sempre...", "você nunca...", "toda vez..." Absolutos soam como se estivessem marcando um placar.

3. Nunca briguem no quarto. Façam amor, não guerra, no quarto.

4. Nunca ameacem um ao outro. Não usem dinheiro, sexo ou a ameaça de divórcio como alavanca para ficar na vantagem. Briguem de modo limpo.

5. Nunca troquem de faixa. Vocês podem sentir como se estivessem perdendo terreno em certa desavença, mas não sucumbam à tentação de trocar de assunto e confundir as questões.

6. Nunca banquem o repórter. É trabalho de repórter interromper as pessoas. Um repórter vai falar com alguém e antes de a pessoa terminar uma resposta a próxima pergunta já é disparada.

7. Não banquem o árbitro. "Bem, duas semanas atrás eu ganhei e estou em uma sequência invicta no mês. Não vou perder." Quando você marca no placar, todos perdem no relacionamento.

8. Não se tornem psicólogos. "A razão pela qual você está agindo assim é porque..." Mesmo se você for um psicólogo, ninguém quer ser analisado o tempo todo.

9. Não banquem o historiador. O historiador busca em todos os arquivos conjugais e recupera problemas que já aconteciam mesmo no tempo do namoro.

10. Nunca desistam! Continuem crendo no poder de restauração de Deus em seu casamento. Não desistam. Lembrem-se do pacto que fizeram diante de um Deus santo: amar, honrar, cuidar e preservar.

Um bom casamento não precisa parecer como se tudo fosse um mar de rosas todo o tempo. O casamento não será assim. Há momentos assim, e eles devem mesmo existir. Mas em boa parte do relacionamento o que há é o dia a dia de construção. Exige uma enorme quantidade de coragem espiritual e de ousadia.

Entre em forma com um personal trainer

Para estabelecer e manter o tipo de intimidade que se espera obter pela *Sexperiência* você precisa de conversa amigável e íntima. Primeiro, conversa amigável. Sua conversa precisa ser sempre respeitável, não importa a intensidade com que algum assunto seja discutido.

Sua comunicação deve não apenas ser amigável, mas também íntima. Isso não significa que você deva sempre se envolver em conversa sensual que leve para a cama. Isso significa que a conversa deve ser verdadeira e honesta. Em conversas íntimas, você se permite ficar aberto e vulnerável. Você poderá se surpreender em como a abertura e a vulnerabilidade conduzirão à intimidade sexual que você deseja.

Para ter esse tipo de conversa — amigável e íntima — você precisa de mais um elemento de uma conversa que leve à solução: consiga um *personal trainer*. Provérbios 15:12 (MSG) diz: "O arrogante metido a sabido não gosta que lhe digam o que fazer; ele evita até a companhia do sábio."

É interessante que pedimos conselhos das pessoas para quase tudo. Se tem um problema legal, você fala com um advogado. Um problema financeiro? Fala com o gerente de seu banco. Um problema de saúde? Vai ao médico. Se está lhe faltando a ginga no vôlei, contrata a ajuda de um profissional de vôlei. Um problema no casamento? Aqui, mais do que nunca, não dizemos nada a ninguém, muito menos a um conselheiro profissional.

Se seu casamento caiu na rotina ou se tiver passado por nove ou dez sessões de negociação sobre o mesmo assunto, procure os sábios conselhos de um casal cristão, de preferência mais velhos do que vocês e que tenham resolvido o mesmo tipo de problema que vocês estão tendo. Certifique-se de que esse casal saiba respeitar a confidencialidade. Não conte a seus parentes e afins, porque eles não conseguirão ter o tipo necessário de neutralidade para orientá-los na resolução.

Se isso ainda não funcionar, procure ajuda profissional. Por favor, não espere muito tempo antes de tratar o assunto.

Na maioria das situações conjugais com as quais eu lido o casal esperou muito tempo. Deveria ter vindo para o aconselhamento assim que o problema surgiu.

Não demore para obter ajuda, porque o problema não desaparecerá sozinho. Vá para alguém que tenha a Bíblia como autoridade. Um conselheiro que segue a autoridade bíblica saberá orientar vocês para o tipo de reconciliação de que Jesus falava.

Como pastor, acredito que faça parte da minha responsabilidade ajudar casais a serem frutíferos e multiplicarem-se do modo planejado por Deus. Quero ajudar meu casamento a ser melhor. Quero ajudar os casais na Fellowship Church a ter um casamento melhor. Também quero ajudar você a ter um casamento melhor.

Para Lisa e eu, todo a *Sexperiência* não é um truque. Ele recebe muita atenção, mas nosso desejo sincero é ajudar cônjuges a tirarem as máscaras, a serem verdadeiros e dizerem: "Nós realmente queremos ficar juntos, mas precisamos de ajuda para fazê-lo."

Seu casamento vale o investimento. Se está pensando: Não podemos pagar um aconselhamento profissional, pense no grande preço que você pagará se seu casamento não se mantiver. Seu casamento vale a pena.

Sempre que há conflitos, acontece ou um retrocesso ou um avanço no nível de intimidade. Deus quer que o espírito de reconciliação se mova e opere em nossa vida e em nosso casamento. Deus quer nos levar a níveis mais profundos de intimidade. Isso é o que ele quer. Isso é o que Lisa e eu queremos para nosso casamento, e sabemos que é o que você quer para o seu. Temos os meios de fazer isso; então, façamos!

Passos práticos

1. Reservem uma folha para cada um, para acompanharem a *Sexperiência*, a fim de que possam determinar o nível e a qualidade da comunicação no casamento antes, durante e após o desafio. Faça anotações sobre como a *Sexperiência* afetou a comunicação com seu cônjuge, e compartilhem um com o outro suas observações.

2. Leia as regras básicas de comunicação com seu cônjuge. Se necessário, adicione um pouco das suas próprias regras. Reconheça de que modo vocês dois as violaram no passado. Façam um acordo de que vão obedecer a essas regras no casamento, e que vão fazer um esforço extra para obedecer durante a semana *Sexperiência*.

3. Discutam se o conselho profissional ou de um casal que vocês conheçam e respeitem é necessário. Se um de vocês ou os dois não estiverem dispostos a ir, orem pedindo disposição para se abrirem e serem honestos sobre seus problemas conjugais com alguém em quem vocês confiam.

4. Comprometa-se com seu cônjuge a permitir que sua vulnerabilidade comece na comunicação para que ela se estenda para além do quarto.

Antes de casar

O namoro é uma parte essencial da preparação para o casamento. É um tempo para vocês desenvolverem comunicação, intimidade, valores espirituais fundamentais e para resolverem conflitos. Esse é um trabalho importante que deve ser feito durante a etapa do namoro.

Repare no modo atencioso com o qual você se comunica agora e se comprometa a continuar agindo da mesma maneira depois da cerimônia. Por favor, não pense que você não vai mais precisar ser cordial e atencioso depois de fazer os votos. Compartilhem um com o outro quais são as coisas de que gostam no modo como se comunicam. Sejam honestos sobre os futuros possíveis problemas de comunicação que lhes preocupam. Tratem dessas questões durante o aconselhamento pré-matrimonial.

Enquanto estiverem se preparando para o casamento, guardem-se contra qualquer tentação de se envolver em sexo; não saltem sobre questões importantes para caírem na eletricidade da excitação sexual.

Sejam corredores de longa distância e caminhem de acordo com o projeto de Deus. Deus diz para gastarem o tempo pré-nupcial no trabalho duro. Antes do casamento é tempo para investir na comunicação, não no sexo.

Comprometa-se a passar uma semana empenhando-se na comunicação de acordo com as diretrizes sugeridas neste capítulo. Discuta e reflita sobre como é a comunicação em sua família e como conflitos são resolvidos ali. Quais são os valores e comportamentos que você gostaria de manter? Que valores e comportamentos você prefere evitar que se repitam?

Conforme suas habilidades de comunicação crescem e se desenvolvem no relacionamento, você ganhará confiança em sua união e poderá entrar em um casamento que mantenha a intimidade sexual como a coisa maravilhosa que Deus planejou que fosse.

Jugo não é jogo

É importante que você se conecte não apenas fisicamente com a pessoa com qual está namorando, mas também espiritual e intelectualmente. Você não deveria namorar alguém com quem não consiga se comunicar, mesmo que essa pessoa tenha uma ótima aparência exterior.

Quando as pessoas namoram, há uma tendência a assumir que o fato de existir uma atração implica que a outra pessoa quer o que você quer. Não é assim. Reserve um tempo para falar... e ouvir. Se a pessoa com a qual está namorando se comunica mal ou usa linguagem chula ou grosseira, nada vai mudar se você se casar com ela.

Se a pessoa enfia a cabeça na areia agora, ela fará o mesmo no casamento. Se a pessoa usa raiva ou agressividade para intimidar, a mesma coisa acontecerá após os votos. Preste atenção agora.

Enquanto você namora também é importante olhar para a família da outra pessoa, pois as pessoas tendem a repetir os comportamentos que lhes foram mostrados. Observe como a família se comunica. Que questões criam falhas na comunicação? Como a família lida com o conflito?

Será que seu namorado respeita sua opinião? Será que ele valoriza as opiniões das mulheres? Será que sua namorada realmente ouve o que você diz ou está apenas concordando com você para evitar conflito? Essas são perguntas importantes que você deve fazer e para as quais deve buscar respostas, pois dizem respeito à pessoa que você namora.

Deus insiste na compatibilidade espiritual nos relacionamentos e em que seu Filho dirija a vida da pessoa com a qual você namora e com quem, por fim, se casará. Deus quer que você descubra o maravilhoso destino que ele tem para sua vida. Deus quer que você encontre o caminho que ele planejou. E ele planejou um caminho incrível; afinal, foi ele quem planejou.

9

Boom chicka wah-wah *(e outras lições da indústria do blues)*

Tenho realizado várias cerimônias de casamento. Na conclusão, olho nos olhos brilhantes da noiva e do noivo e digo: "Eu vos declaro marido e mulher, na presença de Deus e destas testemunhas reunidas." Então, adiciono o que diz a Bíblia: "O que Deus uniu, ninguém o separe" (Mateus 19:6).

Nesse momento tudo parece muito perfeito, muito certo. O homem e a mulher acabaram de trocar votos, alianças e beijos. O casamento é para sempre. Certo? Bem, para muita gente, sim. Mesmo após anos de casamento, sempre fico contente quando um casal me diz: "Ed, temos um excelente casamento! Somos mais apaixonados hoje do que quando caminhamos para o altar. Casamento é ótimo!"

Por outro lado, sempre me entristeço por outros casais, que dão de ombros e dizem: "Bem, nosso casamento é mais ou menos. Estou apenas passando meu tempo em uma prisão de previsibilidade." É triste para mim ver que esses cônjuges se resignaram a aceitar que a união humana mais poderosa já criada por Deus se torne algo banal, sem graça e rotineiro.

Depois de alguns anos de casamento, com filhos, sogros, cunhados, alguns casais estão em uma espécie de purgatório relacional. Eles pairam em algum lugar entre a obrigação conjugal e o divórcio. Eles me dizem: "Meu casamento está por um fio, Ed. Estou em um mato sem cachorro."

Todos os casais passam por períodos em que o casamento parece sem graça, como se eles estivessem afundados na rotina. Isso acontece depois de prolongados períodos fazendo a mesma coisa, da mesma forma, vez após outra. E ainda se perguntam por que ele parece tão previsível e insosso. Maridos e esposas precisam de criatividade no casamento para manter o relacionamento renovado, imprevisível e espontâneo, o que ajuda a manter a intimidade e a excitação sexual.

Manter os sentimentos de romance e intimidade vivos depois de anos exige criatividade. Ser criativo no casamento pode significar comprar um novo guarda-roupa para o quarto ou planejar uma saída especial de fim de semana só para fazer amor. Pode significar infundir no relacionamento um pouco de romance (flores, jantares à luz de velas, longas caminhadas e muita conversa), como você fazia quando estava namorando. Definitivamente significa manter uma noite sagrada de namoro (uma vez por semana ou pelo menos duas vezes por mês) e também pensar em novas coisas para fazerem juntos a fim de manter o relacionamento andando.

Quando você e seu cônjuge estão sozinhos em um encontro, é o momento perfeito para se abrirem. Vocês podem compartilhar medos, sonhos, dúvidas e desejos. É a hora e o lugar da vulnerabilidade. É por isso que eu encorajo os casais a viajarem pelo menos uma ou duas vezes por ano.

A criatividade compensa as grandes faltas no relacionamento. Observe este ótimo exemplo de criatividade que Lisa teve. Na época, havíamos passado juntos mais de trinta Dias dos Namorados (contando o tempo de namoro e de casamento). O que se pode fazer de criativo depois de mais de três décadas de Dias dos Namorados? Bem, ela conseguiu pensar em algo. Lisa pegou uma foto de nós dois e colocou-a em uma moldura bem grande, deixando bastante espaço em branco ao redor dela. Quando vi o que ela havia feito, eu pensei: Por que uma moldura tão grande? Por que ela não usou uma foto maior ou um quadro menor? Mas era tudo parte de seu plano para fazer com que nossa noite dos namorados fosse diferente e especial.

Naquela noite, Lisa pegou a foto com a moldura gigante, mais duas canetas e colocou sobre nossa cama. Então disse:

— Querido, nós vamos escrever sobre nosso relacionamento.

— O quê? — perguntei.

Ela continuou explicando:

— Vamos escrever na moldura algumas palavras significativas sobre nossos 31 anos juntos. Eu já tenho algumas coisas em mente; vamos escrever ao redor da foto.

E assim começamos a escrever. No começo eu não sabia o que pensar, porque escrever aquelas coisas fez com que eu me sentisse vulnerável. Mas, quanto mais eu escrevia, mais eu me envolvia. Hoje essa é uma das minhas fotos favoritas. Ela está pendurada no meu escritório.

Lisa colocou em palavras lembranças como "beijos na garagem", "perfume Charlie" (a colônia que ela costumava usar) e "Jovan Musk Oil" (a colônia que eu usava naquele tempo). Uma coisa engraçada que escrevemos foi "'Bu!' pra você também."

Certo dia, quando Lisa e eu já namorávamos havia algumas semanas, eu estava na casa dela. Nós estávamos no andar térreo da casa assistindo à televisão e eu estava pensando: "Beleza, será que eu devo beijá-la?"

Enquanto eu estava pensando se devia ou não tentar beijá-la, ela perguntou: "Você quer alguma coisa para comer?"

Eu respondi que sim e ela subiu correndo pela escada para pegar alguma coisa de comer. E eu pensei: Certo! Eu vou me esconder para assustá-la. Então talvez ela pule nos meus braços e me beije.

Assim, corri para me esconder quando ouvi passos de alguém descendo as escadas. Quando os passos pararam, eu pulei para fora de onde estava escondido e gritei: "Bu!"

Era a mãe de Lisa! E ela olhou para mim e disse: "'Bu!' pra você também."

Essa história é uma excelente lembrança para nós, e aquela foi uma noite especial de Dia dos Namorados por causa do especial esforço criativo de Lisa.

Criatividade é diferente para cada casal, pois, por definição, é exclusiva a determinada pessoa ou circunstância. A questão é simplesmente ir em frente e ser criativo dentro da capacidade que Deus lhe deu de agitar as coisas para conseguir o melhor de seu casamento.

Eu não vou enganar você. Criatividade no casamento exige motivação, energia e esforço. Se você não está injetando criatividade nesse relacionamento, provavelmente tem sentido os efeitos de um casamento monótono.

Ao aceitarem a *Sexperiência*, você e seu cônjuge se posicionam de modo a se relacionar de maneira criativa. Durante essa semana de sexo, vocês podem empregar novas maneiras de serem criativos dentro e fora do quarto. É importante ser criativo dentro e fora do quarto, pois a intimidade que acontece na cama começa muito antes de vocês chegarem lá.

Uma ferramenta importante para animar as coisas antes da cama é a comunicação. Entre os cônjuges deve haver comunicação, verbal e não verbal, de modo que sejam construídas a intimidade e a excitação em fazer amor e em estarem se relacionando. A comunicação aberta e constante ajuda a manter derrubadas as barreiras, que bloqueiam a proximidade e o prazer no casamento.

Barreiras à intimidade

Alguns cônjuges não conseguem retornar a uma condição de intimidade no relacionamento porque criaram muitas barreiras ao longo dos anos. Na verdade, alguns casais não conseguem nem mesmo encontrar um modo de completar a *Sexperiência* por causa de barreiras no casamento. Eles podem dizer: "Uma semana de sexo? Sem chance de gastarmos tempo com isso! Temos muitas coisas acontecendo... as crianças, o trabalho, as reuniões da igreja..."

As barreiras podem ser uma coisa boa, como as cercas que as pessoas levantam para proteger seus animais do perigo ou para impedi-los de fugir. Na mesma medida em que podem servir de proteção e ser algo bom, as barreiras também podem ser algo desastroso. Tudo depende do que elas são, quem as colocou ali, o que elas deixam de fora (ou dentro) e o que fazemos com elas.

Nós discutimos brevemente em outros capítulos o fato de que no decorrer do tempo os casais tendem a erguer barreiras em torno de seu quarto. Barreiras são diferentes das proteções que vimos no capítulo 6. Barreiras mantêm a intimidade do lado de fora, enquanto as grades de proteção mantêm o casal protegido no lado de dentro.

Você pode não ser capaz de ver que as barreiras em seu casamento foram erguidas por vocês mesmos, mas elas existem. As barreiras que você e seu cônjuge criaram são precisamente o que impede que vocês vivam o casamento do jeito que ele deveria ser. Essas barreiras não permitem a você se conectar regularmente com seu cônjuge. Em suma, elas o impedem de fazer sexo o suficiente.

Quando você se casa, as barreiras que bloqueiam o quarto não são tão grandes. Com um esforço mínimo pula-se sobre elas facilmente. Toda a aventura do casamento é tão nova, vigorosa e empolgante que as poucas barreiras que existem estão a apenas alguns centímetros do chão. Os recém-casados não se importam com essas barreiras iniciais porque o retorno que eles têm é o prazer!

Quando Lisa e eu nos casamos, fomos morar em um pequeno apartamento em Houston. Eramos só nós dois. Sem filhos. (Hoje temos quatro.) Sem cães. (Hoje temos cinco.) Sem múltiplos retiros da igreja para supervisionar. (Agora nós temos cinco desses também.) No início era fácil saltar sobre o que barrava a intimidade. Ao longo dos anos, porém, aprendemos a manter as barreiras abaixadas, de modo que nosso casamento não seja bloqueado por muitas coisas, ainda que ambos tenhamos a vida muito ocupada.

No entanto, em qualquer casamento, conforme o tempo passa, os obstáculos crescem e naturalmente se tornam ainda maiores. De repente (ou pelo menos é o que parece), o esforço necessário para superar as barreiras para a intimidade parece infinitamente grande.

E, se você não for cuidadoso, muito em breve as barreiras podem tornar-se tão complexas que você e seu cônjuge vão preferir evitar lidar de vez com elas a se engajarem no esforço necessário para superá-las. O perigo é que, se não forem tratadas, as barreiras se tornarão algo tão grande que a ponte de volta à intimidade conjugal não poderá mais ser percorrida. Os obstáculos vão parecer maiores do que a recompensa. E, se isso continuar por muito tempo, no fim das contas você escolherá se salvar em vez de fazer o que é preciso para triunfar nessa situação.

A *Sexperiência* tem sido muito bom e salutar para vários casais que estão presos do outro lado da ponte para a intimidade. É um salto inicial no processo de superar as barreiras ou contorná-las.

Obrigado, muito obrigado! Ed, isto [a Sexperiência] vale ouro! Muitos elogios, meus e de minha esposa, cuja vida sexual, ao longo dos anos, se estagnou e se tornou, creio eu, um pouco enferrujada.

Minha esposa e eu temos um ritual agora: depois do jantar nos sentamos perto da lareira e compartilhamos uma xícara de chá. Jogamos fora nossa antiga preferência pela televisão em troca de falarmos e dividirmos o que nos aconteceu no dia, o que leva não só à intimidade emocional, mas, agora com o desafio que você propôs, também a um desejo de transformar isso em intimidade física.

Sanchez.

Parece paradoxal que um casal construa barreiras que privem cada cônjuge de experimentar regularmente a maior intimidade possível. Mas isso acontece com todos os casais em algum momento do casamento.

Deixe-me explicar uma coisa antes de prosseguir. Essas barreiras geralmente não são ruins. Na maioria das vezes são coisas boas. Mas algumas coisas boas podem impedir você de experimentar as melhores coisas da vida. Isso é especialmente verdade quando se trata de ter relações sexuais com o cônjuge. As coisas boas da vida fora do quarto podem tirar o poder e a paixão do sexo dentro dele.

Essas barreiras para o quarto são os obstáculos que você terá de enfrentar na semana em que participar da *Sexperiência*. Talvez você precise começar lentamente a mudar algumas coisas em sua vida, a fim de completar a semana, e superá-las para sempre.

Filhos

Pode parecer irônico que algo produzido pelo sexo possa ser algo que impeça o sexo de acontecer. Mas é isso mesmo. Os filhos podem ser ao mesmo tempo uma bênção e um bloqueio no casamento. Definitivamente, as crianças podem, sim, impedi-los de se conectarem sexualmente.

Lisa e eu temos quatro filhos, de modo que essa barreira é algo que tivemos de negociar repetidas vezes por mais de vinte anos. A partir do momento em que tivemos nossa primeira filha, ficou óbvio que estávamos lidando com um sério obstáculo para o quarto!

Quando o casamento se torna muito centrado nas crianças, uma barreira começa a crescer e a transformar o lugar de romance em uma estação de sono. Quando os pais permitem que a criação dos filhos seja seu objetivo principal, o relacionamento mais importante da família — o casamento — sai de foco. A energia e a atenção que você investe nas crianças se tornam maiores do que a energia e a atenção que você e seu cônjuge têm um para o outro. E quando finalmente vocês têm tempo para o sexo, tudo o que querem é virar de lado e começar a contar carneirinhos.

Em curto prazo, por causa da duração da *Sexperiência*, planeje como vai lidar com suas responsabilidades na criação dos filhos e ainda assim ter tempo para fazer amor. Você consegue! Depois de uma semana pondo essas coisas em prática, você começará a ver meios de reestruturar seu relacionamento em longo prazo, de modo que os filhos sejam bênçãos, não barreiras.

Carreira

Todos os dias, milhões de pessoas acordam cedo, tomam banho, vestem-se, examinam-se no espelho e partem para o mercado. Sejam mecânicos de automóveis, assistentes administrativos ou diretores executivos das quinhentas maiores empresas do mundo, a mentalidade é a mesma: entramos no mundo e nos empenhamos em dar o melhor de nós mesmos para obter a maior recompensa possível. Embora não haja nada de intrinsecamente errado nessa ideia, ela pode facilmente tornar-se um bloqueio para uma conexão sexual com o cônjuge.

Não significa que nós intencionalmente queiramos nos afastar do nosso cônjuge, mas o que acontece é que, quando concentramos tanto de energia e atenção em alguma coisa fora do casamento, algo fica de fora. E esse algo muito frequentemente é o cônjuge. Quando finalmente chegamos em casa depois de um dia todo subindo a escada corporativa, tudo o que queremos é ficar confortáveis, nos acomodar no sofá e apenas relaxar.

Quando você decide fazer da *Sexperiência* uma prioridade, sua carreira deve ser posta no lugar certo. Além disso, se você deixar de colocar a carreira em primeiro lugar, ao contrário do que os homens geralmente fazem, isso dará a seu cônjuge um ânimo extra, pois ele saberá que agora tem prioridade sobre o trabalho.

Ao priorizar a hora de fazer amor e de criar uma intimidade maior, você estará mostrando ao seu cônjuge a importância do casamento para você. Então, depois de fazer isso por uma semana, você começará a encontrar maneiras de colocar o casamento e a carreira na perspectiva correta, de modo a avançarem.

Compromissos

Muitos de nós, se formos totalmente honestos, admitiríamos que estamos excessivamente comprometidos. No mundo de hoje, com seu ritmo acelerado, é fácil reconhecer que há muita coisa acontecendo. Na maioria das vezes estamos com várias coisas em andamento. Até em nosso tempo de lazer estamos com a agenda cheia.

Muitas vezes, queremos ser tudo para todo mundo. Queremos participar de todos os clubes sociais que podemos, porque vemos a importância de relacionamentos significativos em nossa vida. Queremos passar tanto tempo quanto possível no campo de futebol ou no lago, porque o lazer é um aspecto importante para uma vida bem balanceada. Queremos que nossos filhos participem de todas as atividades extracurriculares possíveis, porque queremos que eles curtam a infância. Podemos até tentar encaixar a igreja em nossa agenda lotada, porque queremos cuidar da vida espiritual.

Enquanto isso, gostaríamos de nos conectar intimamente com o cônjuge. Mas quando? As crianças precisam ir ao treino de futebol, ficamos no escritório durante sessenta horas por semana, o próximo projeto de reforma da casa está para começar, temos famílias que precisamos visitar, churrascos para participar, roupa limpa que precisa ser dobrada, grama que precisa ser cortada e, claro, não podemos nos esquecer dos programas de televisão que gravamos.

A lista de obrigações parece interminável, mas uma coisa que fica de fora dessa mistura toda é o compromisso que assumimos antes de qualquer uma delas estar na mira, aquele que foi feito ao cônjuge quando dissemos: "Eu aceito."

Quando foi a última vez que você e seu cônjuge separaram de duas a três horas só para os dois (sem filhos, sem o dia inteiro no escritório, sem correria para o supermercado etc)? Bem, se você não tem feito isso, a *Sexperiência* vai guiá-lo nessa direção. Quando tirar tempo para o sexo com seu cônjuge durante essa semana, você fará certa reapreciação e reavaliará a importância que essas outras coisas realmente têm. Você descobrirá que seu casamento é mais importante do que um jogo de futebol ou uma reunião do comitê do clube.

Criatividade é alimentada por energia. Você precisa de energia para ser criativo, mas o resultado de ser excessivamente comprometido é a fadiga. Estamos cansados demais para sermos criativos com intimidade e comunicação. Isso deixa os cônjuges com vontade de fazer mais sexo, mas eles parecem incapazes de superar as barreiras. Com filhos, carreira e compromissos formando barreiras para a intimidade no quarto, o esforço para voltar a ele parece enorme.

Certa manhã, uma de minhas filhas me olhou e perguntou: "Papai, quando você viu mamãe pela primeira vez, você assobiou?" Deus nos deu essa admiração do tipo "fiu-fiu" pelo sexo oposto. Ele nos deu o dom do sexo e providenciou um espaço valioso no qual podemos praticar e utilizar este dom: o casamento.

Mas isso não significa que o desejo ou a oportunidade surgem facilmente no casamento. Temos de trabalhar para isso. Você se lembra da ETC (ética de trabalho conjugal) que mencionei antes? Para ajudá-lo enquanto você completa de modo criativo e bem-sucedido a *Sexperiência* com seu cônjuge, e vai além com a intimidade intencional, Lisa e eu tenho algumas sugestões que chamamos de construtores de sexo.

Os construtores de sexo vão ajudar você a se livrar das coisas que o impedem de ser o tipo de parceiro, sexualmente falando, que Deus quer que você seja. Se você quer fazer amor regularmente e de maneira criativa, preste atenção a eles.

Construtor de sexo nº 1: saiba o que Deus diz sobre sexo

Quando você não sabe ou não entende o que Deus diz sobre algo, deixe-me encorajá-lo: procure a resposta. Existe uma ligação enorme entre espiritualidade e sexualidade. Os cônjuges que tiram tempo para expressar o amor por Deus de maneira autêntica também arranjam tempo para fazer amor com frequência e de modo criativo.

Tenho conversado com vários casais que têm o casamento centrado em Cristo. Descobri que nesse grupo a maioria esmagadora tende a ter relações sexuais maravilhosas, satisfatórias para ambos os cônjuges. Estudo após estudo mostra que os cônjuges mais sexualmente satisfeitos no casamento são aqueles que oram juntos, leem a Bíblia juntos e vão à igreja juntos. Deus criou o sexo, e esses casais estão fazendo isso da maneira que ele quer que o façam.

A Bíblia diz: "O marido deve cumprir os seus deveres conjugais para com a sua mulher, e da mesma forma a mulher para com o seu marido. A mulher não tem autoridade sobre o seu próprio corpo, mas sim o marido. Da mesma forma, o marido não tem autoridade sobre o seu próprio corpo, mas sim a mulher" (1Coríntios 7:3,4). Isso significa que seu cônjuge é o gerente do seu corpo. E você é o gerente do corpo do seu cônjuge.

Construtor de sexo nº 2: sintonize na frequência do impulso sexual de seu cônjuge

Nós já falamos sobre como alguns cônjuges não fazem a menor ideia das diferenças dos impulsos sexuais entre homens e mulheres. O impulso do homem para o sexo é como uma corrida de velocidade. Em um instante, ele rapidamente está pronto para correr para o sexo. O impulso da mulher, por outro lado, é mais como uma corrida de longa distância. Pode se dizer que ela vai em marcha lenta para o sexo.

Deus nos fez diferentes, com impulsos sexuais únicos. O marido experimenta o sexo e a partir de suas experiências sexuais seus sentimentos fluem. A mulher é o oposto. Ela tem de experimentar os sentimentos antes que possa experimentar a intimidade física.

É aqui que surge o problema. O marido, o velocista, se aproxima da esposa do modo como quer ser abordado. Ele é agressivo em tomar a iniciativa e dispara para o sexo. A mulher, por sua vez, se aproxima do marido como ela quer ser abordada, com romance, intimidade, gentileza. Ela vai avançando lentamente para o sexo.

Esposas e maridos que trabalham juntos na área da intimidade estão sintonizados ao impulso sexual um do outro. É assim: na maioria das vezes, são os homens que desejam sexo. O casal pode ter saído de uma grande discussão há apenas cinco minutos. Ainda assim é provável que o homem dê um tapinha no traseiro da esposa e diga: "Ora, ora. Que tal você e eu no quarto agora?"

As esposas, por outro lado, são multifacetadas e multidimensionais. Para elas o contexto que envolve a questão sexual é enorme. As mulheres precisam saber que está tudo bem do lado de fora do quarto antes que tudo fique bem embaixo dos lençóis.

Sendo assim, o que podemos fazer a respeito? Marido, pare de sair em disparada o tempo todo e desacelere um pouco com a esposa. Esposa, não vá sempre tão devagar; tente incorporar um pouco de velocidade em sua corrida de longa distância.

Quando o marido estiver pensando nas necessidades da esposa e ela estiver pensando nas necessidades dele, haverá duas pessoas entendendo o ritmo da paixão. Se você quer pegar seu parceiro com disposição, aproxime-se dele do modo como ele quer ser abordado.

Construtor de sexo nº 3: veja através da cortina de fumaça secular

A cortina de fumaça da luxúria distorce as realidades do compromisso bíblico do casamento. Conduza sua vida amorosa de acordo com o padrão bíblico e veja o que a Bíblia diz sobre um homem e uma mulher comprometidos com Deus e um com o outro no contexto do casamento: um homem e uma mulher que servem desinteressadamente um ao outro com energia e criatividade. Casais assim veem o sexo como uma oportunidade de maior intimidade e de discipulado para ambos os cônjuges. Em suma, é muito vantajoso para eles.

Depois de falar sobre esse assunto na Fellowship Church, em um de nossos cultos de fim de semana, uma senhora comentou com entusiasmo para Lisa: "Eu realmente gostei da mensagem de hoje. Meu marido e eu estamos indo para casa praticar o discipulado."

Construtor de sexo nº 4: cuide do templo

Este construtor de sexo vem da Bíblia: "Será que vocês não sabem que o corpo de vocês é o templo do Espírito Santo, que habita em vocês, e lhes foi dado por Deus?" (1Coríntios 6:19 NTLH). Cuide do templo. Se você é um seguidor de Cristo, seu corpo é um templo, a morada do Espírito de Deus.

Não entulhe seu templo. Eu não estou falando em virar um casal Ken e Barbie ou em desenvolver uma obsessão física que pode dominar sua vida. Entretanto, estou dizendo: faça o melhor com o que você tem. Alimentar-se adequadamente, fazer exercícios e ficar tão em forma quanto possível são atos de adoração a Deus. O apóstolo Paulo disse: "Se ofereçam em sacrifício vivo, santo e agradável a Deus" (Romanos 12:1).

É preciso um compromisso de trabalho duro para continuar a cortejar seu cônjuge, mantendo boa aparência física. Não negligencie o óbvio: você não pode manter a vida sexual em boas condições se não mantiver o corpo em boas condições. Quando cuidamos do corpo, nosso templo, estamos expressando nosso amor por Deus e por nosso cônjuge.

Construtor de sexo nº 5: parem de se recusar um ao outro

Faça amor, não dê desculpas. Essas palavras não são minhas, são de Deus. Nos tempos bíblicos, algumas pessoas estavam discutindo sobre o que fazer quando um dos cônjuges está no clima e o outro não. O apóstolo Paulo, inspirado pelo Espírito Santo, lhes disse: "Não se recusem um ao outro, exceto por mútuo consentimento e durante certo tempo, para se dedicarem à oração" (1Coríntios 7:5). Além de certos problemas médicos ou questões de saúde, a única desculpa que deveríamos dar é: "Eu estou em oração." Mas ambos devem estar de acordo sobre isso.

Eu não acho que a Bíblia esteja dizendo que nunca podemos dizer não. Mas isso deve ser a exceção. E não diga apenas "não"; se disser "não" diga acrescentando um compromisso, como: "Hoje não, amanhã à noite." Esse encontro marcado dará a vocês algo pelo qual aguardar com prazer.

A grande desculpa destes dias é "estou cansado". Mas estar fatigado é, na maior parte das vezes, uma coisa mental. Eu amo pesca, especialmente a pesca com mosca em água salgada. Quando estou em uma pescaria, posso me levantar às quatro da manhã, pronto para fisgar peixes. Posso estar cansado fisicamente, mas mentalmente estou pronto para pescar tarpão com mosca. E essa atitude mental ajuda a animar meu corpo cansado.

Cansado demais para o sexo? Mentalmente diga a si mesmo: Eu estou tendo relações sexuais com meu marido (ou minha esposa), meu parceiro (minha parceira) de aliança. Mentalmente, eu vou dizer que estou pronto. Você vai se surpreender em ver como de fato seu corpo seguirá esse empenho mental.

Para dançar tango é preciso duas pessoas. Se vocês querem um bom casamento, com criatividade e novidade, é melhor que os dois estejam envolvidos. Se querem muito romance, é melhor os dois se empenharem. Se querem um sexo excelente, é melhor vocês dois estarem animados — mental e fisicamente.

Construtor de sexo nº 6: faça uma fuga romântica

Este construtor de sexo é uma passagem de embarque no P-52. P representa uma pausa, e 52 representa os 52 finais de semana no ano. Maridos e mulheres, eu os desafio a terem duas pausas por ano, apenas para vocês dois, sem filhos, sem parentes, nem mesmo outro casal. Planejem uma ou duas noites por ano, a cada seis meses. Atice as chamas do seu romance. Busque intimidade. Vá atrás de sexo. Na verdade, vocês podem começar sua *Sexperiência* com uma escapadela no fim de semana.

Se está pensando em todos os motivos pelos quais você não pode dar uma escapadela romântica, eu o desafio a usar a criatividade para dar um jeito de essa escapadela acontecer. Pagar o preço agora, tomar um empréstimo se for preciso, é melhor do que acabar no fim da história com o relacionamento falido. Dar essas pausas vale a pena, e você colherá benefícios enormes no casamento.

Construtor de sexo nº 7: fale abertamente sobre sexo com seu cônjuge

Sente-se e compartilhe o que gosta e o que não gosta, seus desejos e anseios, problemas e necessidades. Coloque tudo na mesa e lide com isso. Use sua semana da *Sexperiência* para determinar que áreas da vida sexual têm sido negligenciadas.

Se vocês se sentem desconfortáveis falando sobre questões sexuais, comecem aos poucos até que consigam desenvolver um nível de conforto mútuo no momento de dividirem o que têm no coração. A coisa mais importante no sexo é a comunicação; por isso, encontrem uma maneira de trazê-la para o leito conjugal.

Construtor de Sexo nº 8: Traga de volta o romance

O plano de Deus para o casamento é que ele seja monogâmico, não monótono. O casamento torna-se monótono quando não há criatividade. O relacionamento se torna insípido e rotineiro — o mesmo olhar de sempre, a mesma conversa de sempre, o mesmo modo de sempre de fazer amor.

Em vez de monotonia, nossa vida e nossos relacionamentos precisam ser moldados pela essência de Deus, que é extremamente criativa e inovadora. Se conhecermos a Deus, vivermos para ele e o adorarmos coletiva e individualmente, teremos criatividade em todas as áreas da vida. Você não pode fazer as mesmas coisas da mesma maneira e ainda esperar resultados diferentes. Temos que mudar. Temos que trabalhar. Temos que mandar a monotonia para longe e deixar o sexo ser o presente agradável que Deus quer que seja.

É possível que entre os significados de romântico no dicionário esteja o de não ser prático, de não estar preocupado com as coisas práticas. Nesse sentido, temos de nos tornar pessoas não práticas no romance, como Salomão e sua esposa. Eles não queriam fazer coisas, mas amar; por isso, foram criativos em sua comunicação e em seu amor.

Salomão era criativo. Ele fazia brincos para a esposa; escrevia poemas para ela. Ele mesmo fez um painel para o quarto principal com madeira muito bem cortada dos cedros do Líbano. Ele a levou para longas caminhadas pela floresta.

A esposa respondeu à criatividade de Salomão do modo como ele queria ser abordado, porque ele se aproximou dela como ela queria ser abordada. A Bíblia diz que ela dançou diante dele com uma *lingerie* fina (ver Cântico dos Cânticos 6). Diz que Salomão a levou a um hotel bíblico. A mulher de Salomão tomou a iniciativa e disse-lhe: "Salomão, vamos fazer amor ao ar livre. Eu quero lhe mostrar algo velho e algo novo."

Nossa oração é que você e seu cônjuge desfrutem do sexo dentro dos parâmetros de Deus e usem esse dom maravilhoso da maneira que ele deseja. Graças a Deus por esse desejo "fiu-fiu" pelo sexo oposto. Construa um sexo maravilhoso para seu casamento usando esses construtores de sexo e eliminando os destruidores de sexo. Divirta-se!

Passos práticos

1. Seja criativo! Enquanto você se prepara para a semana de *Sexperiência*, ponha seu cérebro para funcionar de modo criativo. Pense no cônjuge, considere seus desejos e suas vontades sexuais e como você pode satisfazê-los criativamente.

2. Planeje um simples gesto romântico para cada dia da *Sexperiência* (por exemplo, coloque uma rosa sobre a cama, prepare o café da manhã para seu cônjuge, coloque um bilhete de amor em algum lugar que ele veja depois de você ter ido para o trabalho, ligue durante o dia para dizer "eu te amo").

3. Seja honesto sobre as barreiras que bloqueiam a intimidade em seu casamento. Conscientize-se de que você tem o poder para removê-las e faça-o. Discuta essas barreiras com seu cônjuge para que juntos possam descobrir maneiras criativas de eliminá-las e terem tempo para intimidade.

4. Marque pelo menos duas noites de namoro. A primeira, se possível, deverá iniciar a semana de *Sexperiência*. Comprometa-se a honrar essas datas como se fossem os compromissos mais importantes de sua vida.

Antes de casar

Conhecer um ao outro pode ser divertido e emocionante. E é importante conhecerem-se além da intimidade física. Por quê? O sexo é tão poderoso que pode cegar suas habilidades de raciocínio. Ele pode fazer você ignorar áreas críticas no relacionamento, por estar focado no sexo. Então, somente depois que se casa você descobre como essas áreas anteriormente negligenciadas são importantes para a intimidade.

Eu tenho um amigo que vive na Costa Oeste. Ele era um atleta universitário e, durante esse tempo, muito promíscuo. Algum tempo depois ele se tornou cristão e se casou. Depois de vários anos, seu casamento passou por uma série de lutas e estava por um fio. Ele estava se preparando para fazer algo realmente estúpido em que eu mal podia acreditar. Mas, pela graça de Deus e por alguns confrontos honestos de seus amigos cristãos, ele e a esposa procuraram aconselhamento.

Felizmente, eles conseguiram voltar para os trilhos e agora estão indo muito bem. Mas ele seria o primeiro a lhe dizer que a razão de seus problemas no casamento era ele ter sido tão promíscuo antes do casamento. Ele basicamente trouxe todas aquelas outras mulheres para a cama com a esposa.

Durante o noivado, não faça nada que traga para o casamento outras pessoas ou outras variáveis que lhe causem problemas ou dor de cabeça futuramente.

Jugo não é jogo

Romance é algo maravilhoso! Não há nada como as letras de uma canção de amor para aquecer o desejo por intimidade. Romance, canções de amor e fazer algo a mais por alguém que você ama são maneiras maravilhosas de mostrar o quanto você se importa. Se você é solteiro, esteja sempre ciente de que essas ações levam à intimidade no casamento.

Sentar-se com alguém de quem você gosta e ouvir músicas românticas ou assistir a filmes românticos pode fazer com que você deseje esse tipo de relacionamento em sua vida — e você pode ter isso também. Mas, por favor, se decida a fazer da maneira de Deus. Se você for disciplinado o suficiente para guardar-se de sexo antes do casamento, não desista. Eu sei que é difícil, a tentação pode parecer insuportável às vezes, mas Deus irá recompensar sua fidelidade. Faça o que for preciso para preservar esse ato sagrado e reservá-lo para o casamento.

Não caia na tentação sedutora de palavras românticas e sentimentos. Mantenha-se em guarda. Não se engane dizendo: "Ah, eu posso lidar com isso. Não vou ceder a esses impulsos." Deus sabe como essa área é difícil para nós; por isso nos adverte a fugirmos quando o fogo começa a ficar muito quente. Em vez disso, encontre maneiras de ser romântico sem ser sexualmente sugestivo. Use sua criatividade para mostrar a alguém que ele é especial para você sem que vocês caiam em tentação.

10

O grande alvo

Eu me lembro da primeira vez em que vi uma tevê *full-HD*. Era muito cara naquela época, mas a diferença entre ela e a que eu tinha em casa era muito grande. Aquilo era televisão por excelência.

Deus tem uma imagem em HD da união de aliança entre marido e mulher; é o casamento por excelência.

Comparar o casamento HD com um casamento comum é como comparar uma televisão *full-HD* com uma de tubo. Quanto mais você se aproxima da definição divina de casamento, mais brilhante, claro e vívido o quadro se torna. Por outro lado, quanto mais você olha para o casamento do modo como a sociedade o concebe, mais borrado ele fica. Você verá as linhas, o serrilhado, o chuvisco e tudo o mais como nos antigos televisores de tubo.

Com a *Sexperiência*, você e seu cônjuge estarão no caminho para um casamento em HD. O que significa ter um casamento desse tipo? Obviamente envolve mais do que uma semana de sexo, mas esses dias podem ser uma fantástica amostra do que um CHD — casamento em HD — significa.

Ao devotarem-se à intimidade um com o outro por uma semana toda, vocês trabalharão juntos e em cooperação para que isso funcione, com criatividade e empolgação, priorizando e ajustando a agenda. Cônjuges comprometidos a completar uma semana de sexo são a união em ação.

Deus estabeleceu o casamento para ser vivido em sua plena definição, e nós podemos ter isso. Nosso fazer amor, nossa paternidade e mesmo nossa resolução de conflitos deve ser em HD. Quanto mais de perto você vir um CHD, mais você terá uma visão clara de alguns aspectos críticos do casamento.

Em primeiro lugar, no casamento em HD você verá um amor incondicional em HD. Nossa cultura sustenta que o casamento é construído sobre um amor condicional para o qual cada cônjuge contribui com 50%. As pessoas dizem: "Se você fizer assim e assim e agir desse modo, então eu vou amar você." Ou: "Se você fizer sua parte no negócio, então eu faço a minha."

Mas não é esse tipo de amor que a Bíblia diz que devemos ter um pelo outro. Ela ensina que cônjuges precisam ter amor *incondicional* um pelo outro. Esse é o amor por excelência, em sua mais alta definição.

O amor incondicional se manifesta na *Sexperiência* quando um cônjuge está desgostoso com algo que o outro tenha feito, mas não evita o sexo, porque ambos concordaram com o desafio de sete dias. Esse amor incondicional com o qual você se envolveu a fim de completar a *Sexperiência* é o mesmo tipo de amor que você deve empregar todos os dias em todas as áreas do casamento, incluindo o sexo.

A Bíblia ensina que há muitos níveis de amor. O primeiro é o *ágape*, ou amor de aliança. É o amor que toma a iniciativa, do tipo que Jesus tem por você e por mim. É o amor que o compeliu a ir à cruz e a morrer por nossos pecados, mesmo não tendo pecado algum. Seu amor incondicional significa que não há nada que eu possa fazer que leve Jesus a me amar menos.

Pouco tempo atrás, um amigo estava construindo uma casa impressionante. Ele me levou para visitá-la. O projeto, os quartos, o piso e a vista eram algo para ser admirado, mas a casa estava sendo construída em uma parte da cidade que tinha um tipo de solo especialmente ruim. Por isso, eu perguntei a ele sobre o alicerce.

— Quanto você se dedicou ao alicerce? — eu perguntei. A resposta me surpreendeu.

Ele me disse que gastou cerca de seis meses no alicerce. Seis meses! Depois de ter visto como a casa seria grande, entendi que ele *precisava* ter gastado aquele tempo trabalhando em um fundamento sólido.

Esta é a chave para um casamento excelente: é preciso ter um alicerce de amor e aliança muito bem-estabelecido.

A casa que o amor constrói

A *Sexperiência* é seu ponto de partida para lançar ou reavaliar o alicerce de seu casamento. Ter sexo por sete dias pode não lhe ser conveniente, mas, por estar em um relacionamento de aliança, você se submeterá às necessidades sexuais de seu cônjuge.

O amor incondicional — *ágape* — no casamento significa morrer para o ego e dar-se sem reservas para o cônjuge.

Outro nível de amor de aliança mencionado na Bíblia é o *phileo*. Esse tipo de amor representa a conectividade. É o lado caloroso e "macio" do amor. É a motivação para a companhia que brota do amor de aliança. Temos de ter o *ágape* como alicerce, mas precisamos ter o *phileo* para conectar-nos um ao outro.

Você e seu cônjuge irão se conectar no *phileo* quando gastarem tempo ficando juntos apenas por apreciarem a companhia um do outro. Você se conecta em *phileo* quando mostra apreço e gentileza pelo cônjuge.

É óbvio que você não pode simplesmente pular na cama cada dia durante a semana da *Sexperiência*, e isso é verdadeiro de modo especial para as mulheres. Lembre-se, marido, de que a mulher é uma maratonista quando se trata de sexo. Mostrar *phileo* intencionalmente um para o outro durante a *Sexperiência* pode ajudá-los a desenvolver o hábito de demonstrar apreço mútuo e levar sua união para um nível mais profundo, no quarto e fora dele.

Por fim, há outro tipo de amor que muitas vezes parece ser uma obsessão popular nestes dias, e a Bíblia o menciona também: *eros*. Dele vem a palavra *erótico*. É o aspecto ardente, apaixonado e sexual do amor.

Pense em seu casamento como uma casa que tem *ágape* por alicerce e as paredes construídas com *phileo* e *eros*. Há *ágape*, *phileo* e *eros*. Mas a moradia ainda está em risco, pois falta algo: uma cobertura.

O que acontece se uma casa é construída sem telhado? Ela não tem proteção contra os elementos externos. Mesmo que seja construída sobre um sólido alicerce e suas paredes sejam resistentes graças à gentileza (*phileo*) e à paixão (*eros*), se começar a chover, tudo dentro dela vai ser destruído.

É preciso ter um telhado. O tipo de amor que pode ser mais proximamente comparado ao telhado de sua casa é um termo bíblico que Deus usa quando fala de aliança: *hesid*. Eu gosto dessa palavra, pois o *h* está no início e o *d* no final: os pontos importantes para o casamento em HD. *Hesid* é o amor obstinado de Deus, o amor leal que Deus tem por seus filhos.

Ao longo da Bíblia, Deus diz que o casamento deve manifestar seu amor por seu povo. Uma vez que estejamos debaixo da autoridade da mais elevada definição divina de casamento, seremos inspirados a fazer as coisas positivas que normalmente não faríamos e iremos dizer coisas que normalmente não diríamos.

O apóstolo Paulo diz que o casamento é um mistério (ver Efésios 5:32). Creio que a palavra *mistério* aqui se refira ao amor de aliança, porque as pessoas no mundo não compreendem isso.

Talvez você esteja pensando: Bem, Ed, o mundo diz que amor é acidental, uma emoção que surge. Amor é incontrolável.

Isso não é o amor real. A Bíblia fala do amor real como o amor autêntico. E esse tipo de amor é uma decisão, uma escolha. Cada manhã me levanto e coloco minhas roupas. Eu não saio cegamente tateando pelo quarto e colocando camiseta e calças que encontro. A cada manhã eu tomo uma decisão sobre o que vestir. Faço uma escolha sobre como coordenar peças de roupa e cores. Do mesmo modo, a cada dia temos de tomar a decisão de amar.

Eu já oficiei muitos casamentos na vida. Todas as vezes eu perguntei ao noivo: "Você escolhe receber esta mulher?" À noiva eu pergunto: "Você escolhe receber este homem?" Eu digo: "Você *escolhe*" porque amar é uma escolha. Eu não pergunto: "Bem, você *sente* que ama sua esposa como Cristo amou a igreja?" Tampouco eu digo: "Você *sente* que o ama, mesmo quando ele faz alguma coisa totalmente estúpida?"

Deus nos conhece melhor do que nós mesmos. Ele sabe que um casamento em seu mais elevado padrão, que é a união matrimonial levada a seu mais alto nível, não pode ser fundamentado em sentimentos, pois eles são esquisitos. Deus sabe que o casamento não pode ser fundamentados em desejo, pois ele pode sumir. Ele sabe que não pode ser fundamentado em aparência, pois ela pode mudar depois de algum tempo. A aliança matrimonial não pode ser baseada em circunstâncias, pois elas mudam. Essa é a razão de Deus dizer repetidamente que o casamento precisa ser fundamentado em amor de aliança — *ágape* e *hesid* —, pois amar é uma decisão.

Amar é também um comportamento. Jesus disse: "Se vocês me amam, obedecerão aos meus mandamentos" (João 14:15). Em outras palavras, você tem que *fazer* algo. Em resumo, Cristo disse: "Se você me ama, deve mostrar-me seu amor por mim por meio dos frutos que produz, por aquilo que diz, por aquilo que faz e pelas atividades nas quais se envolve."

Amor é também compromisso. Jonathan Cude é um psicoterapeuta cristão que frequenta a Fellowship Church. Ele me disse certa vez: "O casamento precisa ser construído sobre o aço do compromisso." Isso é *ágape*.

Nos meus quase trinta anos de casamento, houve alguns momentos em que eu não tive sentimentos maravilhosos e românticos pela Lisa — não 24 horas por dia, sete dias por semana, pelo menos. Mas nós temos alicerçado nosso casamento em *ágape* e em *hesid*. E, uma vez que o alicerçamos nesse tipo de amor, os outros tipos os seguem, mesmo que se desvaneçam de tempos em tempos.

Quando você escolhe praticar *ágape* e *hesid* no casamento, os outros tipos de amor permanecem, mesmo quando não estão sendo ativamente expressos. Você não vai experimentar uma descarga elétrica de desejo por seu cônjuge todos os dias; por isso, não pode alicerçar o casamento em sentimentos. Deus sabe como nossos sentimentos podem ser inconstantes; assim, ele determinou que o CHD deve ser construído sobre o elevado padrão do amor de aliança.

Quando, no Antigo Testamento, pessoas entravam em aliança umas com as outras, como comentei nos capítulos anteriores, elas deviam fazer promessas entre si, diante de testemunhas, e consagrar-se mais uma vez a esse compromisso — e é isso que precisamos fazer no casamento.

Usem sua semana da *Sexperiência* para se comprometerem novamente um com o outro, e os sentimentos de amor irão fluir. Comecem a se colocar sob a influência do casamento em HD e do amor em HD.

Se você quer edificar seu casamento sobre *ágape*, comece submetendo-se àquelas coisas que são o duro e frio aço do compromisso. Prometo a você que *phileo* e *eros* irão fluir em seguida, como um rio que corre seguindo seu caminho natural.

É mais fácil agir de acordo com sentimentos do que sentir de acordo com as ações. Não esqueça: sentimentos são covardes; por isso você não pode basear neles alguma coisa alta, grande ou sólida. A *Sexperiência* é ponto de partida para você e seu cônjuge dizerem um para o outro: "Nós estamos construindo um casamento em HD".

A Bíblia diz: "Se não for o SENHOR o construtor da casa, será inútil trabalhar na construção" (Salmos 127:1). Este é o problema com casamentos que não são edificados sobre o amor de aliança: marido e mulher são meros construtores trabalhando em vão, porque não entendem o que é exatamente o casamento.

Você não vai encontrar a resposta para o padrão mais elevado de união no casamento por meio da bobajada psicológica ou da mídia. Não vai encontrá-la em filmes, seriados, *reality shows* ou novelas.

Quando se aproxima de um CHD, você sempre vai ver o elevado amor incondicional. Isso não é algo com respeito a você, mas diz respeito a seu cônjuge.

PerDOAR sustenta a carga

O amor incondicional é a base para o casamento em sua mais alta definição. *Phileo* e *eros* são as paredes que dão segurança e proteção contra os elementos externos. E tudo isso funciona bem na maior parte do tempo. Os cônjuges desfrutam sentimentos de amor erótico e momentos carinhosos com base no amor incondicional.

Mas, então, surge uma crise ou questões se levantam e pressionam o relacionamento. Isso pode ameaçar a construção toda, até os alicerces. É nessa circunstância que as paredes de sustentação da casa se tornam ultraimportantes. O perdão é a parede de sustentação da casa.

Em construções, dependendo do tipo de edifício e da quantidade de andares, as paredes de sustentação são colocadas em determinado lugar para equilibrar o peso do prédio. Sem elas, uma parede externa poderia ficar instável se a carga sobre ela excedesse a capacidade do material empregado. Isso poderia fazer com que a estrutura toda ruísse até o alicerce.

Um alicerce de amor mantém o relacionamento forte. Este é o lugar em que a relação se firma. Mas o perdão no relacionamento é o barômetro da união. O perdão sustenta a carga e permite que a casa fique em pé e permaneça assim, mesmo quando é sacudida. Muitos casamentos desmoronam porque não usaram a parede de sustentação do perdão.

Casamento em HD precisa ter perdão em HD. Você pode ter amor, sentimentos, desejo, mas a falta de perdão irá derrubar sua casa. Muitos casais se divorciam mesmo ainda gostando um do outro e, talvez, até mesmo ainda se amando. Por quê? Porque não têm o elevado amor incondicional e não deixaram o perdão sustentar a carga no casamento.

Quando você tem o elevado amor incondicional, ele sempre deságua no perdão elevado, que é a essência da aliança.

No verbo perdoar está a palavra *doar*. A Bíblia diz: "Sejam bondosos e compassivos uns para com os outros, perdoando-se mutuamente, assim como Deus os perdoou em Cristo" (Efésios 4:32).

Levar a união a um nível mais elevado tem relação com perDOAR. Você e seu cônjuge não podem ficar próximos se há problemas bloqueando sua intimidade por causa da falta de perdão. Peça perdão a seu cônjuge para que vocês possam se unir sexualmente. PerDOE seu cônjuge para que vocês possam se unir sexualmente.

Muitos cônjuges estão bloqueados porque precisam dar ou receber perdão. Muitos precisam confessar: "Eu errei. Desculpe. Você me perdoa?" Isso é simples de dizer.

Pedir perdão nem sempre é fácil; também não é fácil dá-lo a alguém que errou com você. Mas você não pode deixar isso afastá-lo do mais alto nível de união. O perdão vai tirar um fardo de seus ombros, vai reatar o relacionamento e vai levar você para mais perto do caráter de Cristo. E também levará seu casamento para um nível mais profundo de intimidade.

O amor e a união mais elevados levam a um novo nível o apelo por uma definição mais elevada de perdão. O apóstolo Paulo disse: "Suportem-se uns aos outros e perdoem as queixas que tiverem uns contra os outros. Perdoem como o Senhor lhes perdoou" (Colossenses 3:13).

Jesus contou uma história a respeito de um rei que tinha muito dinheiro e emprestou o equivalente a R$ 20 milhões a um rapaz que trabalhava para ele (ver Mateus 18:23-35). Havia uma data preestabelecida em que esse rapaz deveria devolver o dinheiro ao rei. Bem, chegou o tempo, o homem não tinha o dinheiro e o rei estava para entregá-lo aos torturadores. O homem clamou por misericórdia dizendo: "Ó rei, tenha misericórdia de mim! Dê-me mais algum tempo, por favor!"

E o rei lhe disse: "Tudo bem, eu vou lhe dar mais tempo." Mas esse tempo terminou também, e o rapaz continuava sem ter o dinheiro. Sabe o que o rei lhe disse? "Eu perdoo sua dívida. Não se preocupe mais com ela." Ele perdoou uma dívida de R$ 20 milhões!

Agora, coloque-se no lugar do rapaz. Se eu estivesse no lugar dele, eu diria: "Uau! Isso é inacreditável! Ele me perdoou uma dívida de R$ 20 milhões! Eu vou perdoar qualquer pessoa que me deva qualquer coisa." Mas não foi o que aconteceu.

Esse homem saiu e encontrou um colega que lhe devia algo como R$ 30. Ele começou a sacudir o homem porque este não tinha dinheiro para lhe pagar. O rei ouviu isso e entregou o perdoado para os torturadores. Jesus concluiu a história dizendo: "É assim que meu Pai celestial tratará cada um de vocês, a menos que perdoem seus irmãos de todo o coração."

Marido e mulher precisam desesperadamente estar sob a influência do perdão em sua mais elevada definição porque ele traz consigo outra ferramenta essencial para o casamento: o altruísmo em HD.

É com essa minúscula palavra de três letras, E-G-O, que tenho a maior parte dos problemas. Vamos ser sérios e honestos: o egoísmo causa a maior parte dos conflitos que enfrentamos no casamento.

O pecado do egoísmo está bagunçando os casamentos. As pessoas dizem: "Puxa, eu não estou feliz. Eu sei que Deus quer que eu seja feliz; por isso, eu estou saindo para encontrar alguém que me faça feliz."

Seu casamento não deve girar em torno de você, mas o que importa é o cônjuge com o qual você está em aliança. O poder do amor de aliança nos ajuda a colocar o ego em cheque. Não há como conservar o ego para nosso benefício.

Ore sobre isso

Tenho certeza de que você leu tudo isso e está pensando: Não tenho como fazer tudo isso, Ed. Eu não posso amar incondicionalmente. Não tenho *ágape*, *phileo*, *eros* e *hesid* todo o tempo. Essa coisa de perdão é ainda mais difícil.

Para pessoas como você, o problema pode ser o egoísmo. "Eu tenho de pensar em mim. Eu não posso e não quero me anular nesse casamento. Eu preciso manter minha identidade, minha pessoalidade." O inimigo nos engana usando uma bobajada psicológica a fim de manter certo nível de desconfiança e de separação no casamento.

Casamento é um processo de transformar seres humanos, que são, por natureza, egoístas. A necessidade de manter a individualidade irá muito frequentemente levar a um conflito com o chamado para serem um da aliança matrimonial.

Então, como isso pode ser vencido? Certamente não é algo que aconteça naturalmente. Temos de orar e pedir a Deus que nos dê o tipo de espírito altruísta que edificará a união no casamento. Parece simples? Oração é real e funciona.

Certo domingo à noite, depois de haver pregado no culto em nossa igreja em Miami, saí para jantar com alguns amigos. Landra, uma das gêmeas, estava comigo.

Após o jantar, o garçom colocou a conta na mesa e meu amigo pegou-a. Eu estava com a carteira na mão e Landra olhou para ela e disse:

— Papai, esses cartões de crédito são legais.

Eu disse:

— Sim, sim, eles são, eles são. Mas deixa eu guardar a carteira.

Eu peguei a carteira e coloquei-a na cadeira, debaixo de minha perna. Eu pensei que já estávamos prontos para ir, mas começamos a conversar mais e mais sobre Miami e sobre a igreja. Eu falei que Landra estava cansada, e, como eu havia pregado em cinco ocasiões naquele final de semana, eu estava bastante cansado também. Então, eu disse:

— Vamos!

Saímos do restaurante, entramos no carro de meus amigos e voltamos para o hotel. Quando Landra e eu estávamos indo para os quartos, eu perguntei:

— Landra, você está com minha carteira?

— Não.

— Tá bom, Landra. Você tá brincando comigo?

— Não.

— Oh, não! Perdi minha carteira. Eu tô em Miami e sem ela!

Peguei o celular e liguei para meu amigo.

— Oi! Eu sei que está perto do restaurante. Você poderia voltar até lá e perguntar ao garçom que nos atendeu sobre minha carteira? — pedi.

Meu amigo voltou ao restaurante e falou com o gerente, com o garçom e com o ajudante do garçom. Nada. Eu corri para o saguão do hotel e liguei para o restaurante. Nada. Meu amigo até pediu para as pessoas que estavam na mesa que havíamos ocupado se levantassem e dessem uma olhada. Ele olhou em todo canto.

Eu pensava: "Isso é uma tragédia!" Nós olhamos em todo lugar.

No meio de meu pânico, Landra, de doze anos de idade, perguntou:

— Papai, você já orou sobre isso?

— Não, Landra. A carteira sumiu. Nós estamos em Miami. A carteira se foi. Eu não orei sobre isso.

De repente, fui tomado de convicção.

— Ok, Landra. Vou orar por isso — eu disse.

Nós nos reunimos em um pequeno círculo — Landra, outras pessoas e eu. Eu fiz a mais patética oração. Foi mais ou menos assim: "Querido Pai celestial, traz minha carteira de volta. Em nome de Jesus. Amém." Baixei as mãos.

Quinze segundos depois, meu celular tocou.

— Sr. Young, achamos sua carteira.

— O quê?

Entramos rapidamente no carro, dirigimos para o restaurante e peguei minha carteira. Alguém havia sentado em cima dela. Como era da mesma cor do assento, quando deram uma olhada no lugar, não puderam vê-la.

Felizmente, nada estava faltando na carteira. Todo o dinheiro e os cartões de crédito estavam no lugar. Quando orei, Deus me ouviu e respondeu. A oração não foi muito pomposa nem elaborada. Ele não me respondeu só porque eu sou um pregador que conhece bastante a linguagem da igreja. Deus está ouvindo você também.

Fiquei muito empolgado quando recuperei minha carteira. Nada se compara a ter de volta algo que você supunha que houvesse se perdido para sempre.

Talvez isso seja verdade em relação a seu casamento. Talvez você esteja pensando: É, meu casamento acabou. Chegou ao fim. Não há como eu tê-lo de volta. É impossível.

Se você está sentindo isso, quero lhe fazer a mesma pergunta que minha filha me fez: "Você já orou por isso?"

Encontrando o que você perdeu no casamento

Se você e seu cônjuge trabalharem e orarem juntos, Deus irá restaurar o que foi perdido em seu casamento. Ele pode restaurar a alegria, a paz, o desejo, a união.

Quando as pessoas dizem que o casamento está perdido, o que elas de fato perderam foi o senso de união. Como o egoísmo toma o controle e os cônjuges fazem coisas que ferem um ao outro, a união é perdida e a falta de perdão e as mágoas assumem o comando. Aquele sentimento de "você e eu contra o mundo" se vai. A proximidade especial que Deus deseja estabelecer para marido e mulher diminui.

Quando isso acontece, as paredes de *eros* (desejo) e de *phileo* (momentos de carinho) vêm abaixo. *Hesid* afunda na casa e a estrutura de seu casamento cai. Somente a parede de sustentação do perdão pode salvar você e seu casamento. É muito importante orar por disposição e força para perDOAR.

Muitas vezes oramos esperando que Deus faça alguma coisa para mudar nosso cônjuge. Mas muitos cônjuges poderão lhe dizer que, por meio dessa oração, Deus não mudou o outro, mas mudou a eles mesmos. E, quando eles mudam, algo no cônjuge por fim muda também.

Talvez você não esteja tão empolgado agora com relação a orar, porque quer que Deus mude coisas como você imagina que devam ser mudadas. Deus é Todo-Poderoso e onisciente. Ele não vai necessariamente agir como pensamos que deve.

Mas se seu objetivo é edificar seu casamento e restaurar a união, ore de qualquer modo e deixe os detalhes com Deus. Confie que ele sabe o que é melhor para seu casamento. Afinal, foi ele quem o concebeu. Permita-lhe fazer o que é necessário para edificar e restaurar a união em seu casamento.

A primeira menção de casamento na Bíblia define a união como a natureza e o objetivo do relacionamento conjugal. É o tornar-se uma só carne. O grande alvo era a união, e ainda deve ser.

Sexo é uma imensa parte disso. Intimidade sexual entre marido e mulher solidifica o relacionamento de uma só carne de modo que ela permaneça. Isso será um testamento para os filhos e um legado para a sociedade.

O casamento — que inclui sexo entre os cônjuges — é sagrado, pois, do início ao fim, reflete a natureza de Deus. Ele representa as características masculinas e femininas, tornando-se unas naqueles seres especiais que ele criou à sua imagem.

Sete dias para a unidade

Lisa e eu nunca tentaremos fazer você acreditar que alcançará uma sensação total de união em seu casamento após uma semana de sexo. O objetivo desta *Sexperiência* de sete dias é levar o relacionamento conjugal para empolgantes novos níveis de serem um: na carne, no espírito e na mente.

Intimidade sexual dentro dos limites do casamento sustenta o ideal de Deus e amplia nossa capacidade de conectar-nos com o cônjuge de modo abrangente e duradouro. Quando nos comprometemos a manter o leito conjugal como uma prioridade sagrada, elevamos a santa união matrimonial para o próximo nível de união, e ainda para além.

Quando casais casados se comprometem a realizar esse desafio sexual, eles experimentam mais do que uns poucos momentos de excitação e de prazer durante uma semana. Eles descobrem que estarem juntos na intersecção entre Deus e sexo pode levá-los a um modo de vida cheio de pontos de exclamação!

Ao envolver-se nestes setes dias para a união por meio da *Sexperiência*, considere as implicações matrimoniais de longo alcance de fazer amor.

Sete coisas acontecem quando marido e mulher fazem amor e atendem aos desejos sexuais um do outro. Você e seu cônjuge deverão passar por todas elas durante a semana do desafia *Sexperiência*. Algumas delas foram discutidas nos capítulos anteriores, mas esta sinopse fará você lembrar por que Deus fez o sexo para casais casados.

A primeira coisa que acontece quando casados fazem amor é cumprir o propósito de Deus para o casamento. Sexo é dom de Deus para que cônjuges selem os laços de seu relacionamento. Durante o primeiro dia da *Sexperiência*, fale com seu cônjuge sobre o plano de Deus para o casamento e por que o sexo tem um papel importante na união conjugal, especialmente na de vocês.

A segunda coisa que fazemos por meio da intimidade sexual no casamento é revelar quem realmente somos. Casamento é um espelho. Quando olhamos para o cônjuge, vemos o melhor e o pior de nós mesmos por meio dele.

Seu casamento é um espelho de você e sua intimidade sexual é um espelho de seu casamento, é um reflexo da proximidade com seu cônjuge. Um casamento sem sexo se encaminha para problemas. Você tem evitado a união que vem por meio da intimidade sexual?

Ao participar da *Sexperiência* você irá necessariamente olhar mais de perto para as demandas de sua vida e empenhar-se em atendê-las, para que possa deixá-las para trás e avançar em intimidade. Aceitar o desafio irá desnudar você, física e emocionalmente.

A terceira coisa que a *Sexperiência* traz para o casamento é ajudar os cônjuges a reconhecerem a intimidade sexual como uma ferramenta para impedir a tentação sexual. Quando temos uma vida sexual maravilhosa e satisfatória no âmbito do casamento, colocamos uma barreira de proteção ao redor de nossa família e um sistema de alarme em torno de nosso relacionamento conjugal para que as tentações exteriores — pornografia, luxúria, adultério — sejam neutralizadas. Quando você tem uma vida sexual muito boa com seu cônjuge, vocês crescem na união, pois reconhecem que o sexo é um ato sagrado reservado apenas para os dois.

O quarto efeito da *Sexperiência* é trazer os cônjuges para uma clara consciência do legado que deixam por meio do casamento. Como se pode fazer diferença para a próxima geração?

Lisa e eu temos confiança de que uma vida sexual muito boa no casamento é uma importante parte da construção de um legado para nossos filhos. Em nosso relacionamento, a intimidade sexual caminha para o perdão mútuo, o qual nos possibilita se comunicar, e tudo o mais que importa em um casamento.

Nossos filhos veem essas coisas como um modelo em nosso casamento. Eles não veem o caráter sagrado de nosso quarto, mas sabem que temos essa intimidade, pois ela se reflete em todas as áreas do lado de fora do quarto. Desse modo, quando eles escolherem um cônjuge, pensarão profundamente sobre esse relacionamento, o que significa e o que o sustém. Eles terão um padrão de comparação pelo qual medir o romance, a criatividade, o amor e a liderança espiritual que devem buscar no casamento.

O quinto aspecto que a *Sexperiência* ressalta é algo em que você não pensa quando está fazendo sexo. Ter sexo com seu cônjuge por sete dias dá ênfase à palavra realmente importante — perdão — e leva os dois a serem gentis um com o outro, como a Bíblia ordena fazer (ver Efésios 4:32).

Quando você e seu cônjuge estão fazendo amor com regularidade, de modo intencional, criativo e amoroso, não há como evitar o perdão. Você tem de tratar de todas as questões e deixá-las de lado para que possam continuar a intimidade física. Faça do perdão seu amigo. Não deixe que a amargura se torne uma amarra para seu espírito.

Lisa me surpreendeu de verdade um dia por compartilhar comigo que tende a se aferrar à amargura. Mas é algo do qual ela está consciente e que constantemente monitora. Isso não deve acontecer só com Lisa; todos temos de monitorar o que o ressentimento e a amargura podem edificar dentro de nós.

É importante ver o que é o ressentimento e estar disposto a superá-lo. Se você está casado há algum tempo já sabe que há momentos em que nem todas as coisinhas estão acertadas antes de ir para a cama. Quando isso acontece, mais importante do que as questões não resolvidas é o compromisso mútuo. Quando você diz "eu fiz isto", você não está estabelecendo um compromisso condicional que sugere: "Bem, esta noite não vai ter, pois nós não acertamos tudo." Se fosse assim, a maioria dos casais muito raramente faria amor.

É muito importante reconhecer o poder destrutivo da recusa de um cônjuge em ser governado pelo compromisso incondicional da aliança do casamento. Se uma esposa continuamente se recusa ao sexo porque guarda ressentimento contra o marido, cedo ou tarde ele começará a se sentir privado e, talvez, ressentido consigo mesmo. É quando aquela colega ou vizinha, que nunca parece estar ressentida, começa a olhar de modo especial para ele. O inverso também é verdade.

Não perdoar é dar um terreno fértil para o adultério. Seu relacionamento não tem de estar em perfeita harmonia a fim de fazerem amor. Na verdade, na maior parte do tempo ele não está. Mantenha-se empenhado por haver perdão em seu casamento, pois todo casamento lida com o mesmo tipo de problemas, mas os bem-sucedidos são os que negociam em torno dessas barreiras e tratam com elas.

A sexta coisa que fazer amor regularmente exige, como a *Sexperiência* vai demonstrar, é o altruísmo. Casamento está totalmente relacionado com altruísmo.

Quando Lisa e eu temos problemas de relacionamento — e, acredite, nós temos —, na maior parte das vezes eles surgem porque eu não estou buscando a Deus nem ouvindo-o. Os problemas surgem quando eu o expulso da sala presidencial da minha vida e decido que eu comando o espetáculo.

Há mais de trinta anos, Evelyn Christenson escreveu um livro chamado *Senhor, transforma-me*. É um título fantástico e um modo muito bom de pensarmos sobre o casamento. Muitas vezes eu quero dizer a Deus: "Lisa não está fazendo isso e agora ela está fazendo aquilo." Mas o ponto principal é que eu tenho de mudar antes que Deus possa mudar coisas; então, eu cedo e deixo o resto com ele.

É fácil olhar para as falhas do cônjuge e ver o que ele faz de errado e não prestar atenção a si mesmo. Lisa e eu mantemos o egoísmo sob controle ao colocar as necessidades um do outro acima das individuais. Mas, honestamente, o sistema de pontuação se interpõe no caminho desse tipo de altruísmo.

Todos os casais têm de lutar contra a tentação de usar o sistema de pontuação. Esse é o sistema em sua cabeça que lhe diz: "Bem, ela só se deu 40%; então, eu também só vou me dar 40%."

Não foi isso que Jesus Cristo fez por nós: ele deu 100% de si mesmo, e o casamento é um reflexo do amor de Cristo pela Igreja. Cristo amou a Igreja a ponto de se dar por ela. Devemos ter profundidade no amor sacrificial um pelo outro e dar 100%, mesmo quando o cônjuge dá apenas 20%.

Dar 100% para o casamento não é com base no que o cônjuge faz. A aliança do casamento está relacionada a cada um atender às necessidades do outro e supri-las. Mesmo quando a pontuação não alcança o placar que você tem em sua mente, desafio você a continuar fazendo amor.

Atender às necessidades um do outro é vitalmente importante no quarto do casal. Mesmo durante a *Sexperiência* pode acontecer de um de vocês estar disposto e o outro não. Apenas mantenha em mente que, se você precisar dizer: "Agora não", diga isso assumindo um compromisso.

Certa vez, quando Lisa e eu estávamos fazendo a *Sexperiência*, eu estava exausto depois de um dia longo e agitado. Por isso, eu disse a ela: "Esta noite, não. Eu estou cansado. Amanhã a gente faz em dobro."

Lisa me ajudou a entender que as mulheres não têm desejo sexual todo o tempo como costuma acontecer com os homens. O ponto dela, porém, é que, mesmo quando você não sente desse modo, você deve produzir um sentimento com sua ação em lugar de esperar ter o sentimento para, então, agir.

A Bíblia nos encoraja a sermos sensíveis às necessidades de nosso cônjuge e não privá-lo sexualmente (ver 1Coríntios 7:5). Lisa e eu temos visto que esse único versículo tem revolucionado muitos casamentos ao longo dos anos. Quando os cônjuges não privam um ao outro sexualmente, Satanás não pode forçar seu caminho entre eles usando a lascívia.

Tem sido incrível para cônjuges entender que, quando amam um ao outro como o Senhor quer que o façam, a questão toda está sempre relacionada ao outro. A questão não sou eu. Não importa o cansaço. O ponto não é se estou excessivamente comprometido por minhas promessas. O ponto principal não é minha carreira ou meus filhos. Para mim, o principal é Lisa.

Seu relacionamento com seu cônjuge é o que há de mais importante. Se entender o casamento desse modo, você terá o tipo de vida sexual satisfatória e constante que se segue. Realização sexual transborda para cada área do casamento, e isso é a verdadeira união em ação.

A última coisa que vemos com a *Sexperiência* é que ele cultiva a criatividade. Sete dias de sexo podem ser monótonos, e sexo depois de anos ou décadas de casamento pode parecer monótono.

Lembre que aceitar o desafio não é só para completar uma tarefa. A *Sexperiência* tem um significado mais profundo: que os cônjuges se amem de um modo mais significativo e mais criativo. O desafio de sete dias tem-nos ajudado a pensar de modo mais criativo com respeito ao romance e sobre como apimentar nossa vida amorosa.

Romance e criatividade andam de mãos dadas. Pense fora da caixinha, não fora da cama. Quando você sai do leito conjugal para ter intimidade com outra pessoa ou para dar vazão à lascívia com atrizes pornô, bate a porta para a criatividade e as possibilidades.

Criatividade é apenas um produto do pensamento. Assim, precisamos ser intencionais com respeito ao desejo e precisamos ser criativos, e isso se torna outra maneira de sermos levados à união.

Se você precisar de alguma ajuda com a criatividade, tire exemplos de Cantares de Salomão (ou Cântico dos Cânticos), na Bíblia. O casal ali levou a criatividade no romance ao grau mais elevado.

Alguns filhos fazem com que seja difícil sermos criativos. Como expliquei, filhos parecem significar *vamos manter a intimidade dos pais a distância*. E eles fazem isso. Quando você tem filhos, tem de ser ainda mais criativo para ter uma vida sexual regular e intencional.

Quando nossos filhos eram muito pequenos, nós os alimentávamos e os púnhamos na cama. Então, fazíamos um piquenique em nosso quarto à luz de velas. Estávamos usando romance e criatividade em meio de nossas circunstâncias agitadas daquela época.

Depois de os filhos se tornarem adolescentes, no entanto, ter tempo a sós para fazer amor não é mais problema. Tudo o que você tem de fazer é dizer algo assim: “Ei, sua mãe e eu vamos estar ocupados esta noite.” Eles vão ficar tão assustados que não vão querer se aproximar do quarto de vocês! Na verdade, eles provavelmente vão chamar os amigos para passar a noite ali.

Comprometer-se com sete dias de sexo será divertido, e pode encorajar você a se tornar criativo, inovador, sensível, altruísta e perdoador. Porém o mais importante é: passar por isso por uma semana ajudará você a entender a vital importância do sexo no casamento.

Nossa cultura tem desvalorizado o sexo fazendo dele uma coisa que as pessoas fazem só porque é bom, como tomar limonada gelada em um dia quente. Sexo no casamento é muito mais do que algo que se faz para atender a uma necessidade. É a supercola que une os cônjuges enquanto eles crescem em sua união.

Com isso em mente, eu o encorajo a fazer o que propus! Faça isso em seu casamento. Faça intencionalmente. Faça regularmente. Faça com entusiasmo. Faça com criatividade. Faça sem egoísmo. Faça, e Deus irá abençoar seu casamento e capacitar você e seu cônjuge a crescerem em união como vocês nunca imaginaram ser possível.

Passos práticos

1. Revise os sete resultados da *Sexperiência* e considere como eles irão ajudar você e seu cônjuge a crescer em união no casamento.

2. Discuta com seu cônjuge como o casamento em HD parece estar em seu relacionamento. Desenhem um esboço de CHD para você e seu cônjuge.

3. Ore de modo sincero e peça a Deus: "Senhor, transforma-me." Pense sobre os aspectos em que você precisa ser mudado. Escreva o que você orou e veja como Deus usa sua oração para trabalhar em você e por meio de você a fim de fortalecer seu casamento.

4. Leia na Bíblia o Cântico dos Cânticos. Quando estiver romanticamente inspirado, escreva algumas ideias sobre como manter o sexo inovador e criativo durante sua semana da *Sexperiência*.

Antes de casar

A união não acontece só porque você está casado ou porque está morando sob o mesmo teto com alguém. Tornar-se um com alguém é um processo que expressa a aliança de um marido e uma mulher com Deus e um com o outro. É um dom que eles dão ao casamento e um ao outro.

Não há curso que você possa fazer, DVD de treinamento a que possa assistir ou livro que possa ler que vá ajudá-lo a aprender o que é união no casamento. É um curso que dura a vida toda, e você só vai aprender se entrar nele. Mas ter a atitude correta com respeito a isso ajuda.

Antes de você dizer "eu vou fazer", examine-se. Você está entrando no casamento por razões pessoais? Você já tem um plano em mente sobre como mudar seu futuro cônjuge? Você já decidiu que não vai desistir de certas atitudes ou comportamentos depois de casar?

Esse tipo de pensamento e de decisões egoístas podem matar qualquer esperança que você tenha de ser um. Empenhe-se por tornar-se um com seu cônjuge, pois foi isso que Deus determinou. Olhe para si mesmo e peça a Deus que o mude, para que você tenha a atitude correta ao entrar no casamento.

Acima de tudo, considere o relacionamento de aliança que Deus tem conosco. A Bíblia diz que nada que façamos pode nos separar do amor de Deus, que temos por intermédio de Jesus Cristo (ver Romanos 8:38,39).

É esse tipo de compromisso que Deus quer que construamos no casamento conforme crescemos em sermos um.

Jugo não é jogo

Muitos solteiros, mesmo cristãos, acreditam que devem ter sexo antes do casamento, pois é assim que saberão se são sexualmente compatíveis. Eles pensam que isso os ajudará a solidificar o relacionamento e a construir a união conjugal.

Desfrutar de sexo não se compara a estar juntos como marido e mulher sob a proteção da aliança do casamento. Casais assim sabem que tornar-se um significa muito mais do que ter sexo ou viver juntos ou compartilhar as despesas domésticas.

Tornar-se um inclui essas coisas, mas começa com a submissão à aliança feita com Deus e entre os cônjuges. Solteiros não têm isso.

Com bastante frequência, solteiros pensam: Ei, isso parece legal. Já que nos damos bem, talvez precisemos avançar e ter sexo ou morar juntos. Isso definitivamente não é um avanço! A próxima etapa é o noivado: um tempo de reflexão, preparação e planejamento de uma vida em comum como marido e mulher.

Morar com alguém ou ter sexo antes do casamento não é como experimentar meias para ver como ficam. Você, homem ou mulher, pode se ajustar morando na mesma casa com alguém ou dormindo na mesma cama, mas isso não é o barômetro para saber se os dois poderão construir sua união como marido e mulher. Isso é evidenciado pelo fato de que o índice de divórcio é o mesmo, se não for maior, entre aqueles que moram juntos antes do casamento em comparação com os que não fizeram isso. Compatibilidade sexual é uma das áreas em que você precisa crescer junto com o outro em união, assim como nas outras áreas do casamento.

É espantoso que solteiros estejam dispostos a fazer sexo com um companheiro, mas nunca a assumir dívida com ele sem estarem casados. Mas qual oferece o maior risco, a maior perda?

Use com o sexo a mesma precaução que você tem com suas finanças e com o dinheiro. Dar seu corpo a alguém pode lhe custar muito mais do que fazer uma dívida com essa pessoa para comprar um carro.

Confie que Deus levará você ao cônjuge certo e, então, confie que ele os guiará à unidade, a qual inclui compatibilidade sexual.

Este livro foi composto em Minio Pro 11/15 e impresso pela
Edigráfica sobre papel Chambril Avena 80g para a
Thomas Nelson Brasil em outubro de 2013.